Hors-piste

Christine Féret-Fleury

Les anneaux du Temps
2. La momie sans nom

Illustré par
Christian Heinrich

GALLIMARD JEUNESSE

Chapitre 1

Avec un soupir de découragement, Emma se détourna de la fenêtre et se lova dans le canapé du salon.

« Ce temps pourri va durer tout le week-end. Pour le tennis, c'est mort. Balade à cheval, pas question. À la télé, j'ai le choix entre *Sissi impératrice* et cinquante séries débiles... La peinture sur soie ? La broderie ? Le macramé ? Pourquoi pas la poterie ? Très peu pour moi, merci. Et cet idiot de Simon qui a coupé son portable... »

Elle se cala dans les coussins à motifs mexicains et feuilleta une revue. Un pli de mauvais augure barrait son front.

Simon ! Depuis l'incroyable aventure qui l'avait entraînée au Moyen Âge — pour sauver la vie d'Arnaud de Florans, son ancêtre*, son aversion pour lui s'était changée en… en quoi, au fait ?

« Je ne suis pas amoureuse. Amoureuse de Simon ? Ce serait un comble ! »

C'était ce qu'elle se répétait, la plupart du temps. « Ce garçon ! Insupportable, égoïste, et en plus… »

Craquant. Drôle. Plein d'idées. Avec lui, elle ne s'ennuyait jamais. Fou de cinéma, de sport, de musique, il l'emmenait voir des films japonais aux titres imprononçables, connaissait les dates de concert des meilleurs groupes, dénichait des tickets de car à prix réduit pour une journée de snowboard dans les Alpes toutes proches.

Et il n'avait jamais essayé de l'embrasser ! Une petite voix, impitoyable et lucide, suggéra à Emma qu'elle lui en voulait justement pour cette raison. Elle rejeta avec horreur cette insinuation infâme, fit taire la petite voix et se leva d'un bond. Dehors, la pluie formait un rideau opaque : des torrents se déversaient d'un ciel bas, bourrelé de gros nuages jaunâtres. Un temps de fin du monde.

Cessant d'arpenter le salon, la jeune fille composa le numéro de Pauline, sa meilleure amie. Celle-ci décrocha à la troisième sonnerie.

* Voir *Les Anneaux du Temps, 1 : L'Appel du Templier* (Hors-Piste n° 43).

– Je suis d'une humeur de chien, déclara Emma sans préambule. Tu ne veux pas venir, que je passe mes nerfs sur toi ?

– Non, viens, toi, fit une voix ensommeillée. Je suis en pyjama, sous la couette. Flemme de me lever. On regardera des DVD en mangeant du popcorn. J'ai loué plein de films d'horreur…

– Super, fit Emma, lugubre. J'arrive.

– Non, attends ! (Un bruit de draps froissés) J'avais oublié que ma mère a prévu de faire des courses… Zut, il va falloir que je m'arrache ! Écoute, tu n'as qu'à venir en fin d'après-midi, disons vers dix-huit heures trente, et dormir à la maison. Même programme, horreur et popcorn, avec pizzas en prime ! O.K. ?

– O.K. À tout à l'heure.

Déçue, elle reposa le combiné sur son socle et consulta sa montre. Quinze heures. Encore trois heures à attendre — autant dire une éternité. À quoi pourrait-elle bien occuper son temps ?

Au-dessus de sa tête, des pas résonnaient. Quelqu'un — probablement sa mère — se trouvait au grenier.

« Le grenier ! Génial ! Je suis sauvée. Maman ne jette jamais rien… Je suis sûre qu'elle va me dénicher des fringues *vintage* pour la soirée à thème du lycée, le week-end prochain… Après tout, les années 1980, c'est toute sa jeunesse ! »

Elle monta l'escalier quatre à quatre.

– Maman ?

La longue pièce était plongée dans la pénombre. Assise sous une tabatière qui laissait passer un peu de jour, la mère d'Emma examinait un épais volume recouvert de toile bleue.

– Je vais dormir chez Pauline, ce soir, lui annonça l'adolescente. Mais avant, tu serais un ange de…

– Viens voir, l'interrompit Mme Florian avec un sourire. C'est un vieil album de photos. Je l'ai retrouvé en bougeant ces caisses, là-bas. (Elle désignait un renfoncement envahi par la poussière et les toiles d'araignée.) Je reconnais des visages… Il doit dater des années 1920, je pense. J'ai vu certains de ces portraits chez ta grand-mère.

Elle montra l'image jaunie d'un jeune homme coiffé d'un canotier, qui arborait une impressionnante moustache.

– Un vrai guidon de vélo, commenta Emma.

– C'est ton arrière-grand-père, Jules Florian. Et celui-là… Son nom m'échappe… Ah, oui, Lucien, son frère.

– Mon arrière-grand-oncle ?

– Oui. Sa femme, Claire, était institutrice. Elle a écrit plusieurs livres sur l'éducation des jeunes enfants… Je dois en avoir un ou deux dans un de ces cartons, si ça t'intéresse.

– Ça ira, dit précipitamment la jeune fille. Je n'en suis pas encore là !

La mère d'Emma continuait à feuilleter l'album, tournant avec lenteur les pages cartonnées. Sous certaines

photos, un nom, une date étaient écrits à l'encre violette. Une rose séchée se détacha et tomba sur le plancher. Emma la ramassa : au contact de ses doigts, la fleur tomba en poussière. Elle en éprouva un étrange frisson, presque un malaise physique ; une veine pulsa à sa tempe, et elle y porta la main comme pour atténuer un élancement soudain.

– Claire était très jolie, avec des cheveux blonds comme les tiens… C'est curieux, je ne la vois nulle part ! Pourtant il y a des photos de son fils, ton grand-oncle… Là, regarde.

Le garçonnet posait devant un décor représentant le parc d'un château ; un cerceau à la main, engoncé dans son costume à col marin, il fixait l'objectif avec gravité.

Sur son épaule, on voyait une main.

Une main de femme.

Longue et pâle, ornée d'une bague au chaton proéminent, elle se prolongeait par un fin poignet serré dans une manchette de dentelle sombre.

C'était tout. Une partie de la photo manquait.

– Tiens, celle-là est abîmée…

Mme Florian regarda sa fille.

– Pourtant, c'est la main de tante Claire, j'en suis sûre… Cette bague lui appartenait. Ta grand-mère m'en a parlé. Le bijou a disparu, je ne sais plus dans quelles circonstances… Ça va, ma chérie ? Tu es toute pâle !

– Ça va, murmura Emma.

– J'espère que tu ne couves pas quelque chose. Ton front est moite... Tu devrais...

– Je vais prendre de l'aspirine et m'allonger un moment, coupa Emma. Tu me prêtes l'album ? J'aimerais le regarder.

– Volontiers, mais...

Mme Florian semblait soucieuse.

– Tu n'as vraiment pas bonne mine. Tu veux que je te fasse une tisane de thym ?

– Non, non. Je suis juste un peu fatiguée.

Elle se leva et déposa un baiser sur les cheveux de sa mère.

– Ne t'affole pas, mère poule !

Emma courut s'enfermer dans sa chambre et s'assit sur son lit, l'album posé sur ses genoux.

« Ça recommence ! Au secours ! »

La migraine lui martelait le crâne ; elle frissonnait. La jeune fille reconnaissait ces symptômes : si elle ne se trompait pas — et elle souhaitait, de toutes ses forces, se tromper —, dans quelques minutes un dôme de glace se formerait autour d'elle, sa surface translucide se mettrait à briller de milliers de filaments colorés, puis se briserait... et elle serait projetée dans les anneaux du temps. Un abîme sans limites, une chute interminable, puis... Quoi ? Dans quelle époque allait-elle se retrouver, cette fois ?

Dans un effort désespéré pour se raccrocher à un monde familier, Emma ouvrit l'album de photographies. Mais ses doigts, engourdis par le froid qui envahissait son corps, ne lui obéissaient plus. La toile qui recouvrait la couverture se fendit et une feuille de papier froissé, ainsi que quelques photos, glissèrent sur l'édredon.

Emma, tremblant de tous ses membres, en ramassa une et l'approcha de ses yeux. Sa vue se brouillait : elle eut le temps, cependant, de distinguer un visage auréolé de cheveux pâles, une silhouette mince, des yeux clairs.

Le bras de la jeune femme s'écartait de son buste en un mouvement gracieux. Sa main, son poignet manquaient.

Et l'expression de son regard ne laissait aucune place au doute : pour muette et figée que fût sa pose, elle appelait au secours.

Chapitre 2

Une odeur appétissante chatouillait les narines d'Emma. Elle était étendue sur un matelas moelleux, la nuque calée par un coussin. Peu à peu, ses pensées devenaient plus claires.

« Maman prépare le dîner… Ouf ! Finalement, je ne suis pas partie… Mais alors, c'était quoi, cette crise bizarre ? Je pensais que c'était fini ! En principe, Arnaud avait refermé les anneaux du temps, la dernière fois*… Il a peut-être oublié un truc dans sa formule. »

* Voir *Les Anneaux du Temps, 1 : L'Appel du Templier* (Hors-Piste n° 43).

Sans ouvrir les yeux, elle remua, sentit sous sa paume une étoffe rêche.

« Pauline va être furieuse ; je suis sûrement en retard. Bon, pas de bobo ? La tête va bien ? Alors bouge, ma vieille. »

Mais la torpeur qui l'engourdissait était si agréable qu'elle s'offrit le luxe de paresser un peu. Et les effluves qui arrivaient jusqu'à elle participaient à ce bien-être.

« Mm, ça sent bon. Cannelle, coriandre... Plein d'épices... Un tajine ? J'adore ! Peut-être que je vais rester à la maison ce soir, tout compte fait... »

À présent, elle percevait d'autres odeurs. Plus exactement, *une* autre odeur, indéfinissable. Pourtant, elle la connaissait. Ce parfum évoquait l'été, les vacances, l'insouciance. Une légère brise, chaude et parfumée, lui caressait la joue. Et elle entendait le claquement intermittent d'un tissu malmené par le vent.

« On se croirait à la plage... »

Le vent ? La plage ? Tout à coup, Emma revint à elle. Quand elle s'était endormie, il faisait un temps exécrable et, même dans sa chambre, la température ne dépassait pas 18 °C !

Elle ouvrit les yeux... et les referma aussitôt.

« Non. Ce n'est pas vrai. Que quelqu'un me dise que ce n'est pas vrai ! »

L'espace d'un instant, elle avait eu la vision d'un tissu rayé tendu au-dessus de sa tête, qui se gonflait et se tendait comme une voile.

Rassemblant tout son courage, elle entrouvrit à nouveau les paupières. Hélas, elle n'avait pas rêvé : elle était couchée sous une tente, sur un amoncellement de coussins. À sa droite, deux poufs de cuir décoré se faisaient face de part et d'autre d'une table basse dont le bois sombre et luisant était incrusté de cuivre. Plus loin, un couffin en osier débordait de linge; des malles cerclées de fer, ouvertes, laissaient voir des vêtements bien pliés. Un casque colonial drapé d'un voile de mousseline coiffait le canon d'un fusil, des piles de livres voisinaient avec des liasses de feuillets couverts d'une petite écriture serrée.

Un pas rapide retentit au-dehors et une main releva la pièce de toile qui dissimulait l'ouverture de la tente.

– Je change de vêtements et je suis à vous, mon ami, lança une voix féminine. Ce sable me colle à la peau, c'est abominable. Quand pourrons-nous prendre un vrai bain ?

– Pas avant plusieurs mois, j'en ai peur, répondit une autre voix, masculine celle-là. Ce diable de désert tient votre époux sous son charme…

– Je le sais, David, je le sais… Si au moins j'avais mon piano… Enfin, à la guerre comme à la guerre ! À tout à l'heure !

La jeune femme pénétra sous la tente et se figea aussitôt.

– Mais qui s'est permis… Ces gamins sont d'une impudence ! File, garçon ! Crois-tu que ce soit un endroit pour

faire la sieste ? lança-t-elle, visiblement irritée.

– Je suis désolée, balbutia Emma qui s'était redressée sur un coude. Je... je me suis perdue.

« En plus, c'est vrai. Perdue dans les anneaux du temps, une fois de plus. »

L'occupante des lieux s'était plantée au pied du lit et dévisageait l'adolescente, les sourcils froncés.

– Une Européenne ! Une jeune fille... bien que curieusement vêtue... Qui êtes-vous ? demanda-t-elle d'un ton plus doux.

« Ces yeux, pensa Emma en un éclair. Ce visage... Je les connais. La photo ! Claire... C'est elle qui m'a fait venir. Mais elle n'a pas l'air de le savoir. »

– Je me suis perdue, répéta-t-elle.

– Je ne comprends pas, dit Claire Florian — car c'était bien elle, plus jeune de quelques années que sur le cliché jauni retrouvé dans l'album. La saison n'est guère propice aux voyages d'agrément. Faites-vous partie — votre père, je veux dire — d'une autre expédition archéologique ?

Expédition archéologique ? De quoi parlait-elle ? Emma sentit que la tête lui tournait.

– Où sommes-nous ? demanda-t-elle d'une voix faible.

Elle tenta de rassembler ses idées. Le sable, la tente rayée... Quand la mode des « bains de mer » avait-elle commencé à se répandre ? Et où se rendaient les premiers estivants ? Pas à la Grande-Motte, ça, c'était sûr…

– À… à Biarritz ? risqua-t-elle avant de rectifier, car Claire s'était légèrement reculée et se mordillait la lèvre : à Deauville ?

Avec douceur, la jeune femme la prit aux épaules et l'obligea à se recoucher.

– Ma pauvre enfant ! Vous devez souffrir d'insolation. Ce soleil d'Égypte est terrible… Où est votre chapeau ? Vous n'en avez pas ? Je m'en doutais. Ce n'est rien, rassurez-vous. Du repos, des compresses fraîches, une infusion que je vais vous préparer moi-même, et demain il n'y paraîtra plus. Nous parlerons plus tard.

Elle se leva, prit dans le couffin un linge qu'elle plia et trempa dans une jarre de terre cuite pleine d'eau.

– Je vais y ajouter quelques gouttes d'essence de lavande, c'est souverain pour les migraines. Voilà… Relevez un peu vos cheveux. Vous êtes blonde, comme moi. Exactement de la même nuance. N'est-ce pas amusant ?

S'agenouillant au chevet d'Emma, elle posa la compresse sur son front.

– Vous avez dit… le soleil d'Égypte ? bégaya l'adolescente, qui commençait à se demander si elle n'allait pas se trouver mal pour de bon.

– Ne vous tourmentez pas, tenta de l'apaiser la jeune femme. Je suis sûre que vous retrouverez très bientôt la mémoire.

– J'ai besoin de savoir…

La voix d'Emma, même à ses propres oreilles, semblait venir de très loin.

– Dites-moi où nous sommes... Je vous en prie...

– Dans la Vallée des Rois. Mon époux, Peter Throckmorton, y recherche la tombe d'une épouse oubliée d'Akhenaton...

Chapitre 3

« Je n'arriverai jamais à marcher avec ce truc-là ! »

D'un coup de pied rageur, Emma se dépêtra de la longue jupe qui entravait ses jambes.

« Quant à respirer, n'en parlons même pas. Ces corsets… une vraie torture ! Comment pouvait-on *obliger* les femmes à porter cette espèce de cage ? J'étouffe ! »

– Cessez de vous agiter, ma chérie ! Sinon vous ne serez jamais coiffée !

« Je le suis déjà bien trop », pensa l'adolescente en contemplant son reflet dans la glace de la table de toilette.

Un flambeau allumé, posé à côté de la cuvette de porcelaine, éclairait les mains de Claire, qui avait relevé les cheveux blonds d'Emma et les fixait à l'aide de multiples épingles. De longues boucles, roulées au fer chaud, encadraient le visage de la jeune fille, qui émergeait d'un col de dentelle crème renforcé de baleines. Le corsage avait des manches longues ; sous sa jupe, Emma avait dû enfiler un jupon et une sorte de pantalon de lingerie orné de rubans bleus.

« Il paraît que les femmes s'évanouissaient tout le temps, autrefois. Eh bien, maintenant, je sais pourquoi. Tant de vêtements, par cette chaleur… »

– Voilà ! s'exclama Claire en reculant d'un pas. Vous êtes très jolie, Emma.

Elle semblait sincèrement heureuse d'aider sa protégée à retrouver un aspect « normal ». Par prudence, l'adolescente avait prétendu ne se souvenir que de son prénom ; à toutes les autres questions, elle avait répondu par la négative. Non, elle ne se souvenait pas d'être entrée — ou qu'on l'eût amenée — dans la tente de Claire. Les curieux vêtements qu'elle portait lui étaient inconnus. Non, elle n'avait pas été victime d'un accident, du moins à sa connaissance.

« Si je lui révèle qui je suis, elle va me prendre pour une folle, et je me retrouverai enfermée dans un asile d'aliénés. Si j'en crois l'histoire de Camille Claudel, ces endroits n'avaient rien à voir avec un club de vacances ou un hôtel trois étoiles. Mieux vaut rester prudente. Tais-toi, Emma, écoute et observe. En attendant. En attendant quoi ? Ça, j'aimerais bien le savoir... »

– Vous devez mourir de faim, poursuivait Claire. Venez, ces messieurs nous attendent... Mon époux sera de bon conseil. Il saura à qui nous devons nous adresser, au Caire peut-être, au consulat ? Votre disparition a sûrement été signalée. Et notre ami David est médecin, il vous examinera...

« Il ne manquerait plus que ça ! » se dit Emma horrifiée. Toutefois, elle esquissa un sourire poli et suivit sa protectrice qui soulevait déjà la portière de tissu.

Le spectacle qui s'offrit à ses yeux lui coupa le souffle.

Des rochers pâles, à perte de vue, semblaient, à la clarté de la lune, diffuser une faible lumière.

– Ce paysage vous rappelle-t-il quelque chose ? murmura Claire.

Emma se composa une mine accablée et fit non de la tête.

– Ce n'est pas grave, la réconforta la jeune femme en passant son bras sous le sien. Une bonne nuit de sommeil et je suis sûre que... Oh, Peter ! Vous m'avez fait peur !

Elle avait eu, en effet, un violent sursaut. Emma la sentit trembler. Était-elle impressionnable à ce point ? L'homme qui venait de surgir n'avait pourtant rien de bien effrayant : grand et mince, il paraissait âgé d'une trentaine d'années et, sous une tignasse rousse ébouriffée,

montrait un visage ouvert, orné d'une superbe moustache relevée en crocs. De petites lunettes cerclées de métal chevauchaient son nez légèrement retroussé.

– C'est donc notre mystérieuse jeune fille ? interrogea-t-il d'une voix amicale. Quelle histoire fascinante ! Peut-être apprendrons-nous que vous êtes la réincarnation de la reine Kiya, et que les dieux vous ont envoyée parmi nous afin de nous aider à découvrir sa sépulture…

Claire rit et se détendit.

– Vous êtes un enfant, Peter, et vous allez effrayer notre invitée. Emma ne tient aucunement à se croire la création des dieux de ce pays…

– Surtout s'ils ont travaillé à partir d'une vieille momie, conclut l'intéressée avec une petite grimace de dégoût.

Le repas fut simple, mais savoureux : un domestique vêtu d'une longue robe rayée leur servit, sous un dais de toile, des bols de soupe aux lentilles et des tranches d'aubergines salées et frites, puis un grand plat de riz aux fruits secs. Le dessert, un gâteau préparé à partir de pâte d'abricot séché, arrosé de miel, fondait dans la bouche. À la première bouchée, Emma constata qu'en effet, elle mourait de faim. Manger de bon appétit lui permettait en outre de se donner une contenance, aussi se concentra-t-elle sur le contenu de son assiette. Ce n'est qu'une fois rassasiée — Mahou, le serviteur égyptien,

passait de petites tasses d'un café noir et fort, très sucré — qu'elle remarqua la tension qui régnait entre les convives. Claire avait à peine touché à la nourriture ; le regard fixe, elle s'éventait à l'aide de sa serviette. David, le médecin, ne cessait de griffonner sur son carnet de notes. Seul Peter avait essayé d'entretenir un semblant de conversation, interrogeant Emma sans la brusquer, la questionnant sur ses goûts, ses occupations, les livres qu'elle préférait. L'adolescente était au supplice.

« Si je sors de là, je me plonge dans une histoire de la littérature. J'ai l'air d'une cruche — je ne me souviens même plus de l'époque à laquelle vivait Balzac. Ni si une jeune fille bien élevée était censée avoir lu ses livres. Et Rabelais est plein de gros mots, non ? Je vais les scandaliser si je dis que j'adore *Gargantua*... En quelle année sommes-nous au juste ? 1910 ? Agatha Christie n'est pas encore née, j'en mettrais ma main à couper. Ne parlons pas de Stephen King ni de Lian Hearn... »

Par chance, David lui sauva la mise. Après avoir lampé son café, il referma son carnet, releva la tête et lança :

– Cette jeune fille semble tout à fait saine d'esprit. Arrête de l'asticoter, Peter.

Il se leva, passa derrière Emma et posa avec douceur une main sur sa tête.

– Vous permettez ? Je veux simplement m'assurer qu'on ne vous a pas assommée, ce qui pourrait expliquer cette amnésie.

– Si elle avait une bosse, je l'aurais sentie en la coiffant, David, repartit Claire avec humeur.

– C'est vrai, ma chère. Loin de moi l'idée de douter de vos compétences. Nous conclurons donc : amnésie partielle, cause inconnue.

– Avions-nous réellement besoin d'un disciple d'Esculape pour en venir à cette conclusion ? ironisa la jeune femme.

Emma la regarda, étonnée. Que signifiait cette soudaine agressivité ? Claire et le médecin n'étaient-ils pas amis ? Elle n'eut pas le temps de s'interroger plus avant, car l'épouse de l'archéologue se levait, époussetant sa jupe.

– Nous allons vous laisser à votre cigare et à votre porto, messieurs. Venez, Emma.

La jeune fille se hâta de la suivre. Son jupon bruissait sur le sable. Avant de pénétrer sous la tente, elle s'arrêta, la tête levée. Les étoiles scintillaient comme un semis de diamants sur une draperie de velours noir. Jamais, pensa-t-elle, elle n'avait vu un ciel aussi pur. Ou si, une fois, lors de son « escapade » au Moyen Âge. À ce souvenir, elle soupira. Qu'était devenu Arnaud, son ancêtre ? L'été précédent, elle avait fait des recherches dans les archives de Bourges, la ville où il avait dû se rendre en compagnie d'Aleth, la jeune fille qu'il aimait. Mais les registres qu'elle avait pu consulter ne remontaient pas plus loin que le XVIIe siècle. Était-il devenu orfèvre, comme il en avait eu l'intention ? Elle aurait bien aimé le revoir, ou au moins retrouver une trace de lui, même infime...

Un cri perçant la ramena à la réalité. Elle se précipita dans la tente, s'empêtrant au passage dans la portière de toile rayée. Claire, juchée sur la malle, semblait tétanisée par la terreur.

– Que se passe-t-il ? interrogea Emma.

– Un serpent... là !

Sur le lit, un mince trait sombre ondulait. Emma fronça le nez : elle avait horreur des reptiles, mais ils étaient si nombreux, l'été, dans les prés de la ferme de sa grand-mère, qu'elle avait appris à ne plus les craindre.

– Avez-vous des... euh, pincettes ? Je vais le mettre dehors.

Claire la dévisagea, abasourdie.

– Des pincettes ? Dans une tente ? Comme si nous avions besoin de faire du feu, par cette température !

Emma rougit.

– Désolée, c'était une question stupide.

– Appelez Mahou... Il saura.

Le serviteur ne perdit pas de temps à chercher un outil approprié : il saisit le serpent entre deux doigts et l'emporta après s'être incliné devant Claire qui, les lèvres serrées, faisait un effort visible pour se contrôler. Quand il eut disparu, la jeune femme s'effondra sur un pouf, tremblante.

– Tout va bien, risqua Emma. Calmez-vous…

– Voudriez-vous… regarder partout, s'il vous plaît ? Je veux être sûre qu'il n'y en a pas d'autre.

– Ce serait étonnant, non ? Celui-ci a dû passer sous la toile, et s'installer pour faire la sieste. Les serpents ont horreur du bruit. Ils aiment le calme et la chaleur.

Pleine de bonne volonté, Emma se mit à secouer les coussins, piétinant les tapis avec énergie.

– Non, lâcha Claire.

Emma s'immobilisa.

– Non ? Que voulez-vous dire ?

– Ce serpent ne se trouvait pas là par hasard. Il était enfermé dans le sac de coton où je range ma chemise de nuit. Les boutons du rabat étaient bien fermés. Quelqu'un l'a apporté ici…

Chapitre 4

– Simon ?

– Mm.

– C'est Pauline. Tu fais quoi ?

– Je lis un bouquin sur l'astronomie. Passionnant. Tu sais ce que c'est que « la masse manquante » ? Eh bien…

– Descends de ta planète. On a un problème. Emma. Elle a recommencé, j'en suis sûre.

– Tu délires. Elle m'a laissé un message sur mon portable ce matin. Elle doit être au cinéma, ou…

– On avait rendez-vous à dix-huit heures trente. Elle n'est pas venue. J'ai cru qu'elle avait oublié, alors je l'ai appelée. Pas de réponse. Je suis passée chez elle, personne.

Pour ne pas affoler sa mère, je lui ai dit que j'avais mal compris, qu'on avait dû se croiser — qu'elle m'attendait sûrement à la maison, enfin le baratin habituel. J'ai prétexté un livre à récupérer pour entrer dans sa chambre, et là…

– La fenêtre grande ouverte, les draps noués bout à bout, des traces de semelles boueuses sur la moquette ?

– Fais le malin, va ! Rien de tout ça, évidemment. Mais sa parka était accrochée derrière la porte. Elle ne serait pas sortie sans, par cette température !

– Elle en a peut-être une autre…

– Ce que tu peux être bouché ! Emma et moi, on fait toujours les boutiques ensemble. Je connais par cœur le contenu de son armoire. Et je peux te dire qu'il n'y manquait rien, sauf un jean et un pull, le violet à encolure djellaba…

– Passe-moi les détails, tu veux ? Emma n'est pas frileuse, ou alors elle était pressée ; tu te montes un film !

– Ses bottes étaient au pied de son lit. J'ai vérifié les autres paires, baskets, etc. : si elle est partie, c'est en chaussettes ! En plus, sur sa couette, il y avait plein de photos éparpillées, de vieilles photos, et un papier roulé en boule. Je l'ai ramassé, au cas où. Les photos aussi.

– Et sur ce papier… il y avait quelque chose d'écrit ?

– Un seul mot : *Kiya*.

Les volets de la chambre de Pauline étaient fermés. Seule, une lampe de bureau brillait au-dessus des têtes rapprochées des deux adolescents. Concentrée, Pauline pianotait sur le clavier de son ordinateur.

– On peut toujours commencer par une recherche générale... Je tape « Kiya », on verra bien ce qui sortira.

Elle se pencha vers l'écran.

– « 41 800 résultats »... Zut, ça fait beaucoup... *Pyaar Kyun Kiya*... c'est un film, on dirait... mais en quelle langue, mystère. Crazy Kiya, c'est un groupe... Il y a aussi un musicien iranien, et une fille qui a créé un blog.

– Laisse tomber, intervint Simon. Regarde plutôt ça. « La favorite d'Akhenaton ».

Pauline se tourna vers lui, horrifiée.

– Tu ne veux pas dire que... qu'Emma serait partie se balader dans l'Antiquité égyptienne ?

– Je ne veux rien dire. Lis !

– « On sait peu de choses de Kiya, déchiffra Pauline, si ce n'est qu'elle a conquis le titre de "Très Aimée". Il se peut que le pharaon ait fait ériger un grand édifice, le Palais du Nord, en son honneur. Certains historiens pensent que son importance vient de ce qu'elle a donné naissance à un héritier mâle, Toutankhamon. »

– Ah oui ? s'étonna Simon. Je croyais que Toutankhamon était le fils de Néfertiti... C'est ce que le prof d'histoire de sixième nous avait raconté.

– Attends la suite... « Néfertiti n'aurait eu que des filles. On perd la trace de Kiya vers l'an 12 du règne

d'Akhenaton. Le nom de Merytaton, fille aînée du pharaon, cache celui de cette épouse secondaire sur des fragments de pierre découverts au Palais du Nord. On peut imaginer que Néfertiti, jalouse, se soit débarrassée d'elle. Après la disparition de sa rivale, Néfertiti accède à de nouvelles fonctions, peut-être celle de corégente avec Akhenaton. »

– Un vrai roman policier…

Pauline pointa l'écran du doigt.

– Il y a aussi des photos… « La collection de vases canopes d'albâtre trouvés dans la tombe KV 55 nous permet d'imaginer la beauté de Kiya… »

– Canopes ? Qu'est-ce que c'est ?

– Le dico est sur l'étagère, à gauche, lança la jeune fille.

Simon grimaça et tendit le bras pour attraper le gros volume. Il ne parvenait pas à se convaincre de l'utilité de ces recherches.

« Pauline a besoin de se rassurer. Moi, je suis sûr qu'elle se trompe. Une aventure aussi dingue ne peut pas se reproduire… D'ailleurs, qu'est-ce qui nous prouve qu'Emma a vraiment voyagé dans le temps ? Elle a peut-être participé à un jeu de rôles, disons, spécial, et le reste, elle l'a inventé. Elle est super, Emma, mais un peu fofolle. »

Il tourna les pages du dictionnaire, hésita, revint en arrière.

– Je l'ai. « Canope : urne funéraire de l'Égypte antique

ayant pour couvercle une tête emblématique, destinée à contenir les viscères d'une momie. » Berk !

Pauline lançait déjà une autre requête.

– « KV 55 ». Presse-toi… C'est pas vrai ! Cette bécane rame, un vrai galérien…

Elle s'appuya contre le dossier de sa chaise et chassa une mèche de cheveux qui retombait devant son visage.

– Ah, tout de même… « Tombeau situé dans la Vallée des Rois, dans la nécropole thébaine, sur la rive ouest du Nil, face à Louxor. » Il y a un plan. Plutôt simple. Un escalier, un couloir, deux chambres. Je croyais que les tombes égyptiennes étaient de vrais labyrinthes… « Ce tombeau est probablement l'un des plus énigmatiques jamais découverts en Égypte. » Et c'est tout.

– Non, ce n'est pas tout.

Simon pointait du doigt un lien en bas de page.

– « Le musée des Beaux-Arts de Grenoble propose une grande exposition sur les nécropoles de la Vallée des Rois : la reconstitution de la tombe KV 55 en est l'un des éléments les plus saisissants… »

Pauline fronça les sourcils.

– Mais c'est chez nous !

– Tu n'avais pas vu les affiches ?

– Euh… peut-être. Tu sais, moi, les musées…

Elle consulta sa montre.

– De toute façon, il est trop tard pour y aller maintenant. Qu'est-ce qu'on fait ?

– Mais non, il n'est pas trop tard. Il y a un truc que tu ignores : le conservateur des Beaux-Arts, c'est mon oncle. Et depuis que je suis tout petit, je me balade dans le musée après l'heure de fermeture. C'est géant, tu peux me croire !

La jeune fille avait déjà bondi sur ses pieds.

– Alors, qu'est-ce qu'on attend ?

Chapitre 5

Une voix aiguë, psalmodiant des paroles inintelligibles, réveilla Emma. Un rayon de soleil se posait en oblique sur la couverture qui la recouvrait ; en se dressant sur un coude, elle vit qu'elle avait dormi sur des coussins, au pied du lit de Claire, et que la même moustiquaire les abritait. De la jeune femme, elle ne voyait qu'une forme recroquevillée, et une main posée sur l'oreiller. Longue et délicate, elle émergeait de la manche d'une chemise de nuit à ruchés et s'ornait d'une bague qu'elle reconnut aussitôt.

« La photo, pensa-t-elle. L'Égypte… Cette histoire de serpent… Quelle horreur ! Je déteste ces bestioles. Est-ce que la vie de Claire est vraiment en danger ? Qui pourrait

vouloir la tuer ? Et moi ? Je suis là pour la sauver, comme la dernière fois ? Encore cette formule… Est-ce que je vais passer ma vie à voler au secours de mes ancêtres ? Si c'est le cas, je n'ai pas fini d'en voir… »

Dans le lit, Claire se retourna et se couvrit les yeux de la main.

– Maudit soleil, gémit-elle. Pas moyen de dormir un peu…

Elle se redressa et, constatant qu'Emma était réveillée, lui sourit.

– Oh ! Bonjour, ma chérie. Vous voilà fraîche comme une rose ! Comment vous sentez-vous ce matin ? Certains souvenirs vous sont-ils revenus pendant la nuit ?

Emma fit un signe de dénégation.

– C'est sans doute trop tôt, soupira la jeune femme. Avez-vous faim ?

– Je dévorerais un chameau ! s'exclama l'adolescente en s'efforçant à la gaieté.

Elle s'assit, jambes croisées.

– Qui criait, à l'instant ?

– Les ouvriers de mon mari. C'est l'heure de la prière… Quand nous aurons pris notre petit déjeuner, je vous emmènerai visiter le chantier de fouilles.

Une heure plus tard, Emma peinait dans le sable déjà brûlant, sur les talons de Claire qui ne semblait pas éprouver les mêmes difficultés à avancer.

« C'est vrai qu'elle a l'habitude, elle, de marcher avec trois kilomètres de jupons, une ombrelle, un chapeau, des gants et je ne sais trop quoi d'autre encore… »

– Au milieu du jour, la chaleur devient intolérable, expliquait son guide. Je me repose dans une petite tombe, qui a été pillée depuis longtemps par des bandits de la région. L'épaisseur des murs y préserve une fraîcheur agréable.

« Faire la sieste dans une tombe ! Quelle idée ! Enfin, je n'ai pas le choix. Faisons donc en Égypte comme font… euh, les Européens. »

Le chemin serpentait entre des falaises à pic, contournant d'énormes blocs de rochers qui semblaient avoir été jetés là par la main d'un géant furibond ; au-dessus de la gorge, le ciel d'un bleu foncé se tendait comme un dais, vibrant d'une lumière intense. Çà et là, sur la roche à nu, se discernaient des traces de pics : des fouilles commencées, abandonnées par lassitude ou manque de moyens. Pas une zone d'ombre, pas un brin d'herbe. C'était un désert, mais un désert où régnait une fiévreuse activité : partout se hâtaient des fellahs* vêtus d'habits rapiécés, portant des pioches, des pelles, des échelles, des rouleaux de corde ; régulièrement, des cris s'élevaient, dominés par les appels d'une voix énergique.

* Fellah : ouvrier agricole, employé ici sur les chantiers archéologiques.

– David est déjà au travail ; il est très consciencieux... remarqua Claire.

Avant d'ajouter, à voix basse :

– Un peu trop peut-être.

Elles ne tardèrent pas à déboucher sur un étroit plateau, encombré du matériel nécessaire aux fouilles. Six hommes robustes venaient de déplacer, à l'aide de leurs leviers, un bloc de pierre de bonnes dimensions ; le front ruisselant, ils se reposaient, appuyés les uns aux autres. Le médecin, accroupi, sondait la paroi à l'aide d'un pic si petit qu'on eût dit un jouet d'enfant. Un mouchoir noué aux quatre coins lui tenait lieu de couvre-chef, mais son teint virait déjà au brique. Les sourcils froncés, il écoutait avec attention l'écho renvoyé par ses coups précautionneux. Claire posa un doigt sur ses lèvres et s'immobilisa, retenant Emma qui, curieuse, voulait s'avancer. Enfin le jeune homme se redressa, souriant.

– C'est bien là, claironna-t-il. Creusez, mes amis !

Découvrant les deux femmes, il s'inclina et retira le mouchoir censé le protéger des ardeurs du soleil, dans un geste qui parut à Emma du plus haut comique.

– Je ne me fais pas d'illusions, soupira-t-il. Ce n'est sans doute qu'une vulgaire fosse à momies, comme d'habitude.

– Une fosse à momies ? s'étonna l'adolescente.

– Les gens du commun étaient inhumés dans des tombes collectives, précisa le médecin.

Les ouvriers avaient repris leurs leviers, qu'ils glissaient dans les fentes de la roche avant de peser dessus de tout leur poids. Leur poitrine nue se soulevait à un rythme précipité.

– Les momies n'ont guère de valeur, continuait David. Il n'y a que les riches touristes pour les payer leur poids en or ! Ce qui m'intéresse, ce sont les papyrus et les objets de la vie quotidienne qu'on a enfermés là avec elles... Malheureusement, ces tombes ont pour la plupart déjà été pillées par les habitants de la région, qui se livrent à cette activité depuis des siècles.

Emma n'en croyait pas ses yeux. Elle vivait un moment historique !

– Me permettrez-vous d'entrer avec vous dans le tombeau ? pria-t-elle, cherchant à jouer son rôle du mieux qu'elle le pouvait — une jeune fille bien élevée, en ces premières années du XXe siècle, ne prenait jamais la moindre initiative sans l'aval d'un adulte, du moins dans les romans qu'elle avait lus.

Le médecin laissa échapper un petit rire.

– Chère demoiselle, je me garderai de vous exposer à semblable... découverte. Votre imagination vous peint sans doute les tombeaux égyptiens des brillantes couleurs du rêve : vous voyez déjà des palais en miniature, des coffres remplis de bijoux... La réalité est bien différente ! Il règne dans ces sépulcres antiques un air suffocant qui fait souvent défaillir l'audacieux qui s'y risque.

Les passages où sont déposées les momies sont en partie comblés par le sable tombé de la voûte; on est parfois obligé de ramper en passant à plat ventre sur des pierres aiguës qui coupent comme du verre. Tenez, je vais vous conter une anecdote : une fois, je suis descendu dans un caveau bien noir. J'étais oppressé, et je voulus m'asseoir un instant sur ce que je crus être un banc taillé dans la roche, mais c'était une momie, qui s'enfonça sous mon poids... Les momies d'alentour, auxquelles je voulus me retenir, basculèrent, et dans ma chute je me trouvai submergé par un monceau de cadavres qui tombaient en poussière... Il fallut plus d'un quart d'heure pour me sortir de là !*

Tout en parlant, le médecin avait reculé de quelques pas, comme pour donner du champ à ses ouvriers, qui s'acharnaient à agrandir l'ouverture pratiquée dans la paroi. Claire et Emma avaient suivi le mouvement, et se trouvaient sous une saillie de la falaise, qui offrait une ombre réduite, mais bienvenue. Soudain, Emma crut voir tomber devant ses yeux un fin voile de poussière, et elle sursauta, car elle pensait encore à la « poudre de cadavre » sous laquelle le jeune archéologue s'était trouvé enseveli.

– Qu'avez-vous, Emma ? s'inquiéta Claire.

* Ce récit est librement inspiré des *Voyages en Égypte et en Nubie*, de Belzoni.

Elle se retourna et s'avança vers sa protégée. À cet instant, un cri aigu retentit au-dessus de leurs têtes ; un grondement se fit entendre, et un énorme bloc de roche vint s'écraser à l'endroit où la jeune femme se tenait quelques secondes auparavant.

Chapitre 6

Derrière la porte fermée de l'appartement du conservateur régnait un brouhaha de fête ; d'appétissantes odeurs chatouillaient les narines, de pâtisserie et de viandes longtemps marinées, de beurre fondu dans la poêle, de vanille et de vin cuit.

– Ma tante est une super cuisinière, dit Simon. Elle adore donner des dîners.

Il ajouta, en pressant le bouton de la sonnette :

– Tant mieux. Si mon oncle est occupé à décanter le bordeaux, il nous confiera les clés sans même y faire attention.

Le garçon n'eut, en effet, qu'à donner l'explication préparée : un exposé urgent, son étourderie devenue, dans la famille, proverbiale. Pressé, l'oncle se borna à hausser les épaules, avant de jeter à Simon un trousseau cliquetant.

– Je croyais que l'Égypte ancienne était au programme de sixième… Tu ne serais pas encore plus en retard que tu ne le penses ? Bon. Tu sais débrancher l'alarme ? Oui ? N'oublie pas, en sortant…

– Oui, je sais. Le boîtier rouge, le code, la manette.

– En bas, la manette.

– Oui, oui.

L'entrée privée du musée se trouvait au bout d'un long corridor obscur. Une simple porte grise, métallique, qui n'attirait pas l'attention. Simon donna deux tours de clé, tira le battant. Pendant qu'il s'affairait sur le boîtier de l'alarme, Pauline, les bras ballants, hésitait au bord de ce qui semblait un gouffre d'ombre, d'où montait une légère odeur de poussière. Peu à peu, ses yeux s'habituèrent à la pénombre, et elle distingua les premières marches d'un escalier. Ils se trouvaient sur une mezzanine qui dominait une grande salle sans fenêtres. Dans les vitrines disposées le long des murs, des veilleuses baignaient les murs d'une lumière bleutée.

– Tu sais où se trouve la maquette du tombeau ? chuchota-t-elle.

– Oui, répondit Simon. Pas la peine de baisser la voix, ma vieille : il n'y a personne. Sauf les momies.

– Je… Il y a vraiment des momies ici ? De *vraies* momies ?

– Oui, dans une salle à part… Ne me dis pas que tu as peur !

– Peur, moi ? N'importe quoi, fanfaronna l'adolescente. Disons que je préfère… ne pas visiter cette partie du musée.

Le garçon ricana.

– Pas de chance, alors : tu vas devoir la traverser, la salle des momies, pour accéder à la galerie où la tombe KV 55 a été reconstituée.

Pauline serra les dents. « Ça va aller, se raisonna-t-elle. J'ai vu trop de films d'horreur… Oui, mais comment aurais-je pu deviner que j'allais me retrouver dans un musée désert à dix heures du soir, avec tout un tas de vieux cadavres desséchés ? Bon, on se calme. Il n'y a aucune raison pour que l'une de ces… choses se relève et m'attrape par-derrière. D'un autre côté… il n'y avait aucune raison non plus pour que ma meilleure amie fasse du tourisme dans le passé ! Au secours ! Je veux mon lit ! Ma couette ! Un feuilleton débile où tout finit bien ! »

Tout en soliloquant, elle suivait Simon qui, en habitué, s'orientait aisément dans le dédale des couloirs. Il poussa plusieurs portes, tapota un code sur un clavier dissimulé dans une boiserie, longea une galerie qui donnait sur un jardin intérieur. Enfin, il fit halte.

– C'est là, annonça-t-il, goguenard. Après vous, princesse !

Avec appréhension, Pauline regarda l'arcade surmontée d'une affiche aux couleurs violentes : LA VALLÉE DES ROIS, RITES ET MYSTÈRES...

« Tu crois que je vais me dégonfler ? Je ne te ferai pas ce plaisir, bonhomme... »

Et, brave, elle entra la première.

– Si j'avais su... Écoute, je suis désolé, voilà ! Tu veux un chocolat ? Il est un peu écrasé, mais c'est du praliné... Ça te remontera.

Pauline fulminait. S'évanouir dans les bras de Simon qui heureusement était resté sur ses talons... Se pâmer comme une idiote, comme une héroïne de romans à l'eau de rose ! La honte, la honte... Pour avoir aperçu, l'espace d'une seconde, une tête momifiée dans le faisceau de la lampe de poche qu'il avait allumée à l'entrée de la salle. Une tête brune, décharnée, plissée comme une vieille pomme, dont les yeux d'émail peint l'avaient fixée d'un regard halluciné, menaçant... Et à présent Simon se penchait sur elle, faussement navré, penaud, lui tapotait les joues avec des précautions maladroites... Elle se redressa, le repoussa.

– Arrête, ça va !

Pauline était assise, adossée au mur, à côté d'un panneau qui détaillait les objets exposés dans la salle. D'un bond, elle se releva, frottant son jean plein de poussière.

– Tu pourras dire à tonton que le ménage laisse à désirer… On est où, là ?

– La KV 55, précisa Simon. Reconstituée telle qu'elle a été ouverte en 1993, d'après photos, moulages, etc. Tu vois ce dessin ? Apparemment, il y a eu des travaux *après* la construction de la tombe.

– « On peut remarquer des traces de maçonnerie sur le mur près de l'entrée du tombeau, lut Pauline. Ces marques indiquent que l'entrée, les escaliers, le plafond ont été agrandis et le nombre de marches augmenté. Les murs et le plafond, dans la chambre funéraire, ont été plâtrés mais laissés sans décoration. » Tu crois que ça veut dire que le mort, homme ou femme, qui a été enterré là n'était pas celui pour qui la sépulture avait été creusée ?

– C'est une bonne hypothèse. Il devait être d'un rang supérieur. Mais ce qui est bizarre, c'est qu'ils n'ont pas eu le temps de mener leurs travaux à bien.

– On va voir à l'intérieur ?

Pauline baissa la tête pour franchir l'ouverture et pénétra dans le tombeau, qu'éclairaient des ampoules situées au ras du sol. Des pioches et d'autres outils traînaient dans la poussière ; une veste de lin grisâtre était pendue à une cheville de bois.

– Plutôt mal rangé, commenta la jeune fille.

– Apparemment, les premières fouilles ont été interrompues soudainement, et personne ne s'est soucié de

remballer le matériel, expliqua Simon. Bizarre, non ?

– Tu crois que les archéologues ont été surpris par des bandits ? Des pilleurs de sarcophages, qui leur ont coupé la gorge avant de s'enfuir avec le trésor ?

– On aurait retrouvé des squelettes… Non, ils sont partis, laissant le tombeau en l'état et la momie dans son sarcophage. Ils ont même pris la peine de reboucher l'entrée.

– Ça se passait quand ? Je veux dire, à quelle époque ?

Le garçon consulta le dépliant qu'il tenait à la main.

– Voilà le hic. On ne sait pas. Le matériel de fouille retrouvé dans la KV 55 date de la seconde moitié du XIXe siècle, ou du début du XXe. Mais l'année exacte de cette expédition, tout comme les noms de ceux qui en faisaient partie, reste un mystère. La chambre funéraire nous en apprendra peut-être davantage…

– Mmm… Vas-y tout seul, je t'attends là.

– Pauline ! Ce n'est pas la vraie momie, mais une reconstitution ! protesta Simon. Tu ne vas pas recommencer ! Écoute, je ne sais pas ce qu'on cherche, et toi non plus. Mais puisqu'on est là, autant faire les choses sérieusement.

– Bon, d'accord, maugréa l'adolescente.

Elle lui emboîta le pas, prenant soin de rester le plus loin possible du sarcophage, tandis qu'il continuait à lire les explications données par les panneaux.

– « Il semble que ce tombeau ait servi de cachette pour des restes d'équipements funéraires de la nécropole royale d'Armana. Une chapelle en bois doré appartenant à la reine Tiyi, divers petits objets, quatre vases canopes… »

– Ceux de Kiya ?

– Oui, et aussi ceux d'Amenothep III… Et la momie, alors ? Ah, voilà : « La momie, très endommagée, n'a pu être identifiée du fait de son état, les os seuls et le crâne s'étant conservés. Il pourrait s'agir d'un roi, mais les inscriptions sur le cercueil sont parfois accordées au féminin. Le mystère de cette sépulture réside principalement dans la destruction intentionnelle des représentations du défunt. Son visage a été effacé, et le cartouche révélant son nom méthodiquement découpé. »

– Pour que personne ne sache qui il était ?

– Pas seulement. Ça s'appelle la *memoria damnata*, je crois… Tu enlèves son nom au mort, et il ne peut plus retrouver son chemin dans l'au-delà. Toute résurrection lui est interdite. Et tu effaces son souvenir de la mémoire des vivants…

Pauline haussa les épaules.

– Palpitant. Mais on n'est pas plus avancés…

Revenant sur ses pas, elle frôla de l'épaule la veste grise, qui se balança légèrement.

– Finalement, elle ne me fait pas peur, cette momie. C'est ce truc qui me donne le frisson. J'ai l'impression

que le type qui l'a posée là va revenir d'une minute à l'autre. Tu ne sens pas sa présence ?

– Ben... non, avoua Simon. Tu es sûre que ça va ? Tu ne vas pas t'évanouir ?

– Lâche-moi, tu veux ? Je ne suis pas...

Les yeux rivés au sol, elle s'interrompit.

– Là, souffla-t-elle.

– Quoi, là ?

– Cette bague !

Simon s'accroupit.

– Ça ne ressemble pas à un bijou égyptien, constata-t-il. Ma grand-mère en a une de ce genre-là. Avec une pierre rouge foncé...

– Un rubis ? Un grenat ?

– Un grenat, c'est ça. Cette pierre-là est bleue...

– Un saphir ! Je l'ai déjà vue.

Pauline fouillait les poches de son jean. Elle en sortit un cliché froissé qu'elle brandit sous le nez du garçon.

– Regarde ! Cette photo était sur le lit d'Emma.

Un petit garçon vêtu d'un costume à col marin, tenant un cerceau. Sur son épaule, une main de femme.

Et la bague.

– C'est la même, dit Pauline, j'en suis sûre !

Chapitre 7

– Buvez un peu d'eau... vous vous sentirez mieux.

Claire fit, de la main, un geste de refus. Elle était pâle, les narines pincées.

– Je me sens très bien.

– On ne dirait pas.

– Laissez-moi quelques instants... je vais me reprendre.

Emma s'agenouilla auprès de la jeune femme. Celle-ci était étendue sur un matelas garni de coussins, dans la tombe désaffectée où elle se livrait habituellement aux joies de la sieste. David et l'un des fellahs l'avaient portée jusque-là, puis s'étaient retirés. Le médecin, qui semblait pressé de reprendre son travail de fouille, s'était

contenté de lui prendre le pouls avant de déclarer :

– Il n'y a pas de quoi s'inquiéter. Elle en sera quitte pour la peur ! Restez avec elle, je vais mener ma petite enquête sur le terrain. Si l'un de mes hommes est responsable de cet accident, soyez sûre qu'il va passer un mauvais quart d'heure !

« Tu parles, pensa Emma. Ta petite enquête ! Ben voyons ! Tu ne vas rien faire du tout, parce que la seule chose qui t'intéresse, c'est ce tombeau, à côté… »

Avec sollicitude, elle défit les premiers boutons du corsage de Claire, afin de lui permettre de respirer plus librement, et lui glissa un coussin sous la nuque.

– Merci, souffla la jeune femme.

Au-dehors, les coups de pioche avaient repris, rythmés par les ordres du contremaître. Un rayon de soleil pénétrait dans la tombe ; des volutes de poussière se soulevaient et dansaient, plus opaques de minute en minute.

– On va étouffer, bientôt, constata Emma. Nous serions peut-être mieux dehors, à l'ombre…

– Attendez !

Claire lui avait saisi le bras et le serrait avec une force surprenante.

– Il faut que je vous dise… au cas où il m'arriverait quelque chose…

– Mais il ne va rien vous arriver, commença Emma. Vous…

– Si ! Si, j'en suis sûre… Quelqu'un en veut à ma vie. Le serpent, sous ma tente… et ce matin encore…

Emma se mordit la lèvre. « J'ai bien peur que ce soit vrai, se dit-elle. Si elle ne courait aucun danger, je ne serais pas là… »

Elle s'efforça pourtant de rassurer Claire.

– Il y a sûrement une explication.

– Vous ne savez pas tout. Le serpent… ce n'était pas le premier incident. Il y en a eu d'autres : il y a quelques semaines, j'avais commandé un plat spécial à Mahou, notre cuisinier, une omelette aux herbes dont je suis friande. La cuisine égyptienne est trop grasse à mon goût et il sait à présent confectionner la plupart des plats que nous apprécions, même s'il a la main lourde sur les épices. Mais ni mon époux, ni David n'aiment l'omelette, et chacun ici le sait. Je me passe ce caprice de temps à autre… Ce jour-là, j'ai trouvé à la première bouchée que les œufs étaient trop cuits ; de plus, l'omelette avait une saveur amère. J'ai renvoyé mon assiette. L'un des chiens errants qui rôdent sans cesse autour de notre campement a mangé les restes du plat pendant que Mahou avait le dos tourné ; deux heures plus tard, il était mort.

– Mais…

– Vous ne comprenez pas ? L'omelette avait été empoisonnée. Depuis, je ne mange rien qui n'ait été au préalable goûté par d'autres. La semaine suivante, j'ai trouvé un scorpion dans mon coffret à bijoux ; cela

beaucoup de coïncidences et d'« accidents malheureux », comme le prétend notre médecin !

Elle approcha son visage de celui d'Emma et acheva dans un souffle.

– Je suis désespérée… J'ai peur… Je soupçonne tout le monde… même David… même… même mon mari !

Abritée du soleil par l'ombrelle à laquelle elle commençait à s'habituer, Emma regardait, fascinée, l'ouverture rectangulaire d'où s'exhalait un souffle brûlant. Les ouvriers avaient fait basculer de côté la dalle qui dissimulait l'entrée du tombeau ; appuyés sur le manche de leurs outils, ils reprenaient leur souffle et épongeaient leurs fronts brillants de sueur.

– Ce n'est pas une simple fosse à momie, haleta le jeune médecin, très excité par sa découverte. Regardez ces traces de maçonnerie, là… et là ! Le plafond a été surélevé… Des travaux trop importants pour de simples paysans.

– Je serais heureuse que vous puissiez recueillir enfin les fruits de votre travail, David, dit Claire.

Elle semblait sincère. Une fois de plus, Emma s'émerveilla de son aisance, de la maîtrise que la jeune femme conservait d'elle-même, en dépit de l'« accident » qui avait failli lui coûter la vie.

« Question d'éducation, sans doute. À force de cacher leurs sentiments profonds, de ne laisser paraître que ce qui était "convenable", les femmes devenaient des championnes de l'hypocrisie... On ne pouvait pas lire sur leur visage ce qu'elles pensaient. Alors que moi... mais je suis en train d'apprendre, on dirait. »

Quand elles étaient sorties de la tombe désaffectée, Emma aurait volontiers saisi le médecin par sa cravate chiffonnée, histoire de lui faire avouer ses coupables projets, s'il en avait : mais Claire, qui avait dû comprendre ses intentions, l'en avait dissuadée d'un regard. Très droite, elle s'était avancée vers le chantier de sa démarche de reine, répondant avec grâce aux questions distraites de l'archéologue qui, la voyant si vite remise, ne s'était inquiété de sa santé que pour la forme.

– Que fait Peter ? s'impatientait-il. Certes, je ne commencerai pas l'exploration sans lui, mais... il devrait être là depuis longtemps.

– En effet, je ne vois pas ce qui a pu le retarder à ce point... Ah ! Le voilà.

Un tourbillon de poussière, à quelque distance, annonçait en effet l'arrivée de l'archéologue. Il pressait le pas, ayant sans doute aperçu l'ouverture béante.

– Merveilleux ! cria-t-il en rejoignant le petit groupe. Fabuleux ! Extraordinaire ! Fantastique !

– Mon cher, gardez vos superlatifs, lui enjoignit Claire d'une voix paisible. Vous seriez fâché de les avoir tous utilisés, si vous découvrez là-dedans quelque merveille.

Le jeune homme parut contrarié.

– Vous êtes la raison même, Claire, comme toujours… Eh bien, David, qu'attendez-vous ?

– À votre avis ? repartit son associé, mi-figue mi-raison.

– Éclairez-moi !

Sur cet ordre jeté d'une voix sans réplique, Peter Throckmorton courba sa haute taille et entra dans le tombeau.

Chapitre 8

– C'est toi qui…

– Non, c'est toi. Une fille, ça paraîtra plus naturel.

– Tu as peur que le bijoutier s'imagine que la bague t'appartient ? Ça égratignerait ta virilité ?

– Laisse ma virilité tranquille, ce n'est pas ça du tout. Au contraire, j'ai peur qu'il pense que je l'ai fauchée, cette bague…

– Ce qui est vrai.

– Tu exagères ! Qui a eu cette brillante idée, au musée ?

– Bon, O.K., O.K. J'y vais.

Pauline poussa la porte de la petite boutique. Une clochette résonna. Sur la vitre, on pouvait lire : ERNEST PICHEGRU. VENTE, ACHAT, EXPERTISE.

– Quel trou à rat, grommela Simon en regardant autour de lui. Et cette vitrine ! Ridicule. Trois millimètres carrés, et un seul bracelet exposé, sur un coussin de velours rouge, comme si c'était le trésor de la Couronne...

– Tu n'y connais rien. C'est très tendance... et le bracelet doit coûter une fortune.

– Exact, jeune personne. Vous avez l'œil !

Une tête venait de surgir au-dessus du comptoir sur lequel s'alignaient plusieurs petits plateaux tendus, eux, de velours noir. Un œil malicieux se braqua sur les deux adolescents — l'autre était caché par un bandeau. L'homme était minuscule, frêle comme un oiseau déplumé ; sa tête de lutin centenaire s'ornait d'une magnifique chevelure blanche coiffée en catogan.

– Que puis-je pour votre service ? fit-il d'une voix flûtée.

– Euh... J'ai... C'est au sujet d'une bague.

Pauline fouilla dans sa poche.

– Elle était à ma grand-mère, mais... Enfin, je ne sais pas trop comment vous expliquer... Elle avait un peu perdu la tête à la fin de sa vie, et elle a vendu certains de ses bijoux pour les remplacer par des imitations, alors on a pensé...

Simon regretta de ne pas pouvoir se cacher sous le comptoir. Cette histoire rocambolesque sonnait faux, et il était persuadé que le bijoutier n'en croirait pas un mot. Mais le vieil homme se contenta de hocher la tête ; il prit dans un tiroir une pince avec laquelle il saisit le bijou, qu'il éleva au niveau de son œil unique. Puis il alluma une lampe puissante et regarda longuement les reflets que la lumière arrachait à la pierre sertie dans sa monture démodée.

– Mm-m, lâcha-t-il au bout d'un moment. Vous permettez ?

Et il disparut dans l'arrière-boutique.

« Ça y est, se dit Simon. Il va appeler les flics. »

– C'est malin, fit-il à voix haute. Encore une de tes initiatives débiles ! Ce truc est en toc, on le sait, non ? Pourquoi ce besoin de tout vérifier ? On va se retrouver au poste pour avoir piqué sa quincaillerie à une vieille dame...

– Arrête ! Ma tante, elle aussi, avait une bague qui ressemblait un peu à celle-là. Elle a souvent attiré mon attention sur la ciselure... Elle disait que, maintenant, les bijoutiers étaient incapables d'un travail aussi délicat. Si cette bague est un faux, il a été fabriqué avec beaucoup de soin. Ça m'a paru bizarre... et puis...

Pauline hésita.

– Quoi ?

– Tu vas encore te moquer de moi, mais... quand je l'ai mise à mon doigt, j'ai eu... une drôle de sensation. Comme si...

Elle n'eut pas le temps de finir sa phrase : le vieillard aux allures de lutin venait de réapparaître. Il posa la

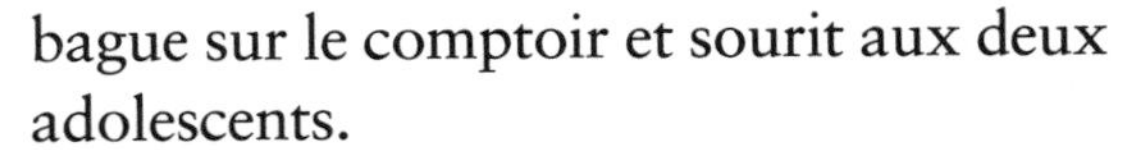

bague sur le comptoir et sourit aux deux adolescents.

– Examen terminé.

– Alors ? s'enquit Simon avec impatience.

– Quel qu'ait pu être l'état mental de votre… parente, mademoiselle (il adressa à Pauline un clin d'œil appuyé), elle n'a pas dilapidé tout l'héritage familial. Cette bague a de la valeur. Or gris, pierre sans défauts… Je l'estimerais, au bas mot, à cinq mille euros.

– Vous voulez dire que…

– Qu'elle est authentique ? Absolument.

Chapitre 9

Emma se couvrit la bouche et le nez de son mouchoir ; l'air confiné de la tombe, chargé d'odeurs étranges, lui donnait la nausée.

– Ce sont les aromates utilisés autrefois par les embaumeurs, dit Claire, qui la précédait. N'est-il pas émouvant qu'après tant de siècles leur parfum ne soit pas totalement évaporé ?

Pour toute réponse, l'adolescente émit un grognement.

« Émouvant... Dégoûtant, oui ! Comment pouvait-on faire un métier pareil ? Ouvrir les cadavres pour en sortir les tripes... »

Quelques minutes plus tôt, les deux archéologues étaient ressortis du tombeau, en proie à la plus vive excitation.

– Une découverte majeure ! avait lancé le jeune médecin, les yeux brillants. C'est la gloire assurée, mes amis !

Peter Throckmorton s'était approché de son épouse et avait pris doucement sa main.

– Ma chère Claire, vous avez consenti bien des sacrifices pour me suivre et me soutenir dans des expéditions qui se sont souvent révélées hasardeuses, ou vaines... Peut-être ne vous ai-je pas assez dit à quel point je vous en étais reconnaissant. Mais, cette fois, je crois que nos efforts vont recevoir leur juste récompense : cette tombe recèle un sarcophage intact et, à en juger par son aspect, il s'agit d'une personne de lignée royale... Je serais profondément heureux si vous étiez présente quand nous ferons sa connaissance...

La jeune femme ne cherchait pas à dissimuler son émotion.

– Merci, Peter, avait-elle murmuré. Moi aussi, j'en serais heureuse.

« Elle l'aime, avait songé Emma en observant le beau visage coloré d'une légère rougeur. Ça, c'est le comble, quand on pense que ce type en veut peut-être à sa vie ! »

Elle n'avait guère obtenu d'éclaircissements sur les raisons qui poussaient Claire à soupçonner son mari d'être à l'origine des « accidents » survenus récemment, mais croyait comprendre que, dans le ménage, la jeune femme tenait les cordons de la bourse. Un héritage lui permettait de financer la campagne de fouilles de son mari...

« Mais alors, pourquoi tuer la poule aux œufs d'or ? Ce Peter Throckmachin a plutôt intérêt à ce que sa femme vive longtemps s'il veut continuer à assouvir sa passion des momies. À moins... qu'il n'y ait autre chose. Il va falloir que je me renseigne discrètement. Discrètement... facile à dire. Je ne vois pas bien qui pourrait m'en apprendre davantage... Mahou, peut-être ? Lui-même est si discret qu'on ne remarque pas sa présence, mais il ne doit pas se priver d'écouter et d'observer ceux qui se sont proclamés ses maîtres... »

À ce point de ses réflexions, elle heurta le dos de Claire et se tordit la cheville.

« Aïe ! »

Emma, plongée dans ses pensées, n'avait pas prêté grande attention au boyau obscur qui menait à la chambre funéraire. Mais celle-ci, brillamment éclairée par la lueur des torches que des ouvriers tenaient à bout de bras, abritait un objet qui attira ses regards.

C'était un sarcophage taillé dans un bloc de pierre noire et gravé sur toute sa surface de hiéroglyphes minuscules.

– Du granit ? interrogea Claire.

– Il semblerait, répondit David. Mais ces hiéroglyphes... C'est étonnant...

Il s'agenouilla et suivit du doigt une rangée de signes.

– Pourquoi ? s'enquit Emma. Ils ont quelque chose de spécial ?

– Non, mais le sarcophage, nouvelle demeure du défunt dans l'au-delà, se veut la reproduction en miniature de l'Univers : le couvercle représente le ciel, le fond de la cuve la terre, et les quatre côtés correspondent aux quatre points cardinaux, les « quatre côtés du ciel ». Les textes sacrés sont placés à l'intérieur... Celui-ci ne comporte aucune des habituelles représentations de divinités protectrices, comme Osiris, Anubis, Isis et Nephtys... Je ne vois pas non plus l'œil oudjat, posé sur la porte factice de la tombe, qui doit permettre au défunt de porter son regard sur le monde des vivants. Pouvons-nous l'ouvrir ?

– Ce sera difficile sans l'abîmer, constata Peter Throckmorton en se penchant. Je n'ai jamais vu couvercle mieux ajusté.

– Je vais chercher des coins et des leviers, annonça le médecin. Avec un peu de chance, nous réussirons à le soulever sans le briser. Ces textes m'intéressent au plus haut point et je veux les étudier !

L'opération prit environ une demi-heure, qui sembla interminable à Emma. Le parfum pénétrant des aromates, joint à la fumée des torches enduites de résine, lui piquait le nez et les yeux, et elle sentait une irrésistible somnolence s'emparer d'elle. Enfin le lourd couvercle bascula, dévoilant un autre cercueil de bois peint. Ce dernier affectait une forme humaine ; une lourde perruque entourait le visage et les bras étaient croisés sur la poitrine. Tout autour étaient disposés différents objets : un miroir de métal, des coffrets de verre bleu débordants de bijoux, des sachets d'encens, de petits vases.

– Regardez, dit Claire avec émotion, une palette pour écrire… et cette petite spatule servait au maquillage… Croyez-vous que cette momie soit celle d'une femme ?

– Alors nous avons peut-être trouvé notre reine, répondit son mari avec un léger tremblement dans la voix. En ce cas, cette sépulture est le lieu d'un mystère : pourquoi cette simplicité, cette absence d'ornements dans la décoration de la tombe ? On dirait que les funérailles ont été célébrées à la hâte, et qu'on a voulu cacher la morte — au lieu de l'honorer…

– Et le cercueil semble avoir été abîmé intentionnellement, poursuivit David. La feuille d'or qui recouvrait le visage a été arrachée… En outre, j'ai l'impression qu'il manque quelque chose, dans ce tombeau. Même si je ne saurais pas dire quoi…

Il arracha une torche de la main d'un fellah et l'approcha du cartonnage.

– Incroyable ! s'exclama-t-il. Vous voyez ce bandeau de hiéroglyphes déroulé de la poitrine aux pieds du cercueil ? Il devrait y avoir là un cartouche sur lequel est inscrit le nom du défunt…

– Eh bien ? hasarda Emma, qui ne comprenait pas grand-chose à tous ces détails.

– Il a été découpé. C'est une momie sans nom !

Chapitre 10

– Cette bague me fascine, dit Pauline.

Elle avait posé le bijou sur sa table de nuit et, allongée sur le lit, le fixait avec intensité.

– Super, bougonna Simon, perché sur la chaise de bureau. Et pendant que tu rêvasses, les heures filent. Les parents d'Emma ne vont pas tarder à ameuter la Terre entière…

– On a encore un peu de temps. Ils ont dû penser qu'Emma était allée directement au lycée, ce matin…

– Mais ce soir ? Elle ne rentrera pas chez elle.

– Je peux les appeler. Leur dire qu'on prépare un exposé, qu'on a besoin de travailler ensemble toute la

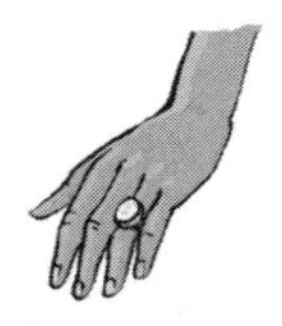

soirée. D'ici là, on aura trouvé une solution.

– Je te trouve optimiste. *Quelle* solution ?

Sans répondre, Pauline allongea le bras et prit la bague entre le pouce et l'index. Elle l'approcha de ses yeux et la fit tourner.

– J'ai l'impression que la solution est là, murmura-t-elle. Pourquoi un bijou authentique dans une tombe reconstituée, où tout est faux ? Il n'est pas arrivé là par hasard. C'est un signe, un message... un indice. Peut-être une clé.

– Tu lis trop d'*heroic fantasy*, persifla son compagnon. Une clé... et puis quoi encore ?

– Je me demande...

Pauline fit glisser la bague sur son annulaire.

– La première fois que j'ai essayé, j'ai senti un truc bizarre, et...

Elle ne termina pas sa phrase. Ses yeux se révulsèrent, et elle retomba sur son oreiller comme une poupée de chiffon.

– Pauline ! cria Simon.

Il bondit vers le lit. L'adolescente, les bras le long du corps, semblait profondément endormie. Sa respiration était régulière.

– Pauline ! Réveille-toi !

Il la secoua, lui pinça les joues, puis, affolé, lui administra une gifle énergique. Sans résultat.

– Non, c'est pas vrai ! Il ne manquait plus que ça…

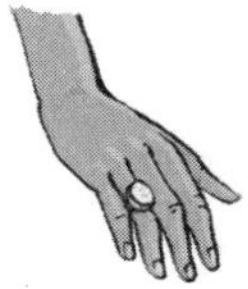

Pauline flottait. À peine surprise, elle vit son corps allongé sur le lit, Simon penché sur elle, les rideaux gonflés par l'air venant de la fenêtre entrouverte ; chaque objet, chaque meuble lui apparaissait avec clarté, comme si elle les avait examinés de très près — et pourtant elle s'éloignait, emportée par... quoi ?

« Est-ce que je suis morte ? » pensa-t-elle, mais sans éprouver la moindre frayeur. La chambre avait disparu, elle était entourée de nuages, ou de ce qui semblait être des nuages, une brume en volutes, étouffante et grise. Des tourbillons, sans cesse, se creusaient, étaient comblés, se creusaient à nouveau. Immobile, rigide, elle frôlait des gouffres béants, traversait des murailles opaques, glissait le long de pentes traîtresses. À son doigt, la bague s'était rétrécie et la serrait, un lien douloureux qui la maintenait éveillée.

Peu à peu, la brume se dissipa.

Elle voyait… des dunes, puis des roches nues, de la poussière. Une falaise creusée de gorges arides, où aucune plante ne poussait. Des tentes : un campement ? Un maigre feu autour duquel quelques silhouettes se trouvaient rassemblées.

Elle se rapprochait. À toute vitesse. Elle aurait dû, sur son visage, sentir le vent de sa chute, mais seules les images qu'elle découvrait se précipitaient, se précisaient. Elle ne tombait pas. Toute sensation absente, sauf cette brûlure à l'annulaire.

Les tentes grandirent, Pauline vit claquer les toiles dans le vent, les cordages se raidir, elle vit le sable se soulever et retomber. Le silence, velouté, inquiétant, l'entourait d'un cocon protecteur. Rapide comme un souffle nocturne, elle dépassa le campement, suivit les traces sinueuses des ouvriers, et fut happée enfin par une ouverture béante, porte noire ouverte dans le rocher.

« Emma ! »

Elle aurait voulu crier le nom de son amie, mais ses cordes vocales ne lui obéissaient plus — avait-elle encore des lèvres ?

Emma, debout au centre d'un groupe. Des torches enflammées éclairaient la scène, un homme courbait sa haute taille vers une cuve de pierre, un autre gesticulait.

Pauline reconnaissait l'endroit. Elle s'y était trouvée la veille… ou presque.

C'était la tombe KV 55.

– Je te jure, Simon, je l'ai *vue*. C'était bien elle, avec une drôle de robe…

– Encore !

– Oui, avec des volants, genre 1900. Et un chapeau.

– Laisse tomber le chapeau. Tu dis qu'elle était dans la tombe ? Celle du musée ?

– Oui, mais je crois que c'était la vraie. Il y avait

plusieurs personnes avec elle : deux hommes habillés comme… comme des Européens de la même époque, et d'autres avec des djellabas, ou juste des pagnes et des turbans.

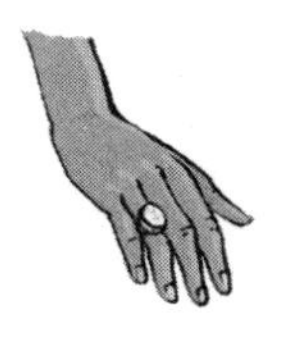

Simon, mal remis de son inquiétude, s'efforçait en vain de maîtriser son exaspération.

– Incroyable ! Tu sors juste du coma…

– Je n'étais pas dans le coma. Je t'assure que je suis restée consciente du début à la fin !

–… et tu parles chiffons ! Les filles ! Vous ne pensez à rien d'autre ?

– Ça suffit !

Pauline sauta du lit et se planta devant le garçon, les yeux étincelants.

– Tes remarques machos, tu peux les garder… D'autant que mon sens de l'observation vestimentaire va peut-être nous servir…

Simon émit un ricanement méprisant.

–… car dans la tombe, il y avait aussi une femme, continua Pauline imperturbable.

– Et alors ?

– Et alors, je te ferai grâce des détails de son costume, mais une chose a retenu mon attention.

– Passionnant, persifla Simon. C'était quoi ? Un petit foulard de soie ?

– Une bague. (Pauline montra le bijou qu'elle venait d'ôter.) La même que celle-ci.

Chapitre 11

– Une momie sans nom !

Emma jeta un coup d'œil intrigué à ses voisins, qui s'étaient figés. Quelques secondes s'écoulèrent, puis un fellah, avec un cri aigu, lâcha la torche qu'il portait et se rua vers la sortie. Ses compagnons l'imitèrent ; le bruit de leurs pieds nus sur la pierre décrut, puis s'éteignit. Avec un soupir, Peter Throckmorton se baissa et ramassa l'une des torches, qui fumait en grésillant.

– Nous sommes dans de beaux draps ! Votre éloquence ne sera pas de trop, David, pour les convaincre de se remettre au travail.

– J'ai bien peur que mon éloquence ne soit pas à la hauteur de cette tâche, rétorqua le jeune médecin.

– Mais pourquoi ? s'étonna Emma. Le plus dur est fait, puisque le tombeau est ouvert !

Les deux hommes échangèrent un regard embarrassé.

– Inutile de vous alarmer, ma chère… Ce ne sont que des superstitions, marmonna Peter Throckmorton.

– Je ne m'alarme pas, répliqua la jeune fille agacée. J'essaie de comprendre. Ces hommes semblaient terrifiés… mais par *quoi* ?

– Ils craignent la malédiction, répondit Claire.

Elle se pencha vers le sarcophage découvert.

– La *memoria damnata*, dit-elle.

– La mémoire… quoi ? risqua Emma, qui regrettait à cet instant d'avoir séché tant de cours de latin. Qu'est-ce que c'est ?

– Une condamnation à l'oubli, prononcée après la mort. Elle a été parfois votée par le Sénat romain à l'encontre d'hommes politiques tombés en disgrâce ou convaincus de tyrannie, comme Marc Antoine, Domitien ou Commode. On effaçait le nom du condamné des monuments publics, on renversait ses statues, on déclarait que son anniversaire serait désormais un jour néfaste… Bref, on faisait tout pour que même son souvenir disparaisse de la mémoire collective. Dans l'Égypte ancienne, priver une momie du cartouche où son nom est écrit a une signification encore plus terrible, car on

lui ôte ainsi toute possibilité de retrouver son chemin dans le royaume des Morts. Les dieux ne répondent plus à l'invocation de celui qui n'a plus de nom : il ne peut y avoir pour lui de résurrection. Cette malédiction, qui s'attache aussi aux lieux de sépulture, a toujours provoqué la terreur des populations locales, même si sa signification n'est plus connue de personne.

– Voilà qui explique les particularités de cette tombe, s'enthousiasma le médecin. Un personnage de sang royal enfoui à la hâte dans un sépulcre creusé pour une famille de rang modeste, quelques travaux d'embellissement laissés inachevés… C'est extraordinaire ! J'ai hâte de démailloter cette belle personne pour qu'elle nous livre tous ses secrets !

– David !

Emma sursauta. Peter Throckmorton était blême et fixait son ami avec une sorte de férocité.

– Comment peux-tu te permettre de… plaisanter sur ce sujet ? La femme — *la Reine*, j'en suis persuadé — qui repose ici mérite notre respect, notre dévotion… Songe aux affronts qu'elle a déjà subis, et à ceux que nous allons infliger à sa pudeur…

Le médecin, piqué au vif, ouvrit la bouche, puis, au prix d'un effort visible, la referma. Le volant d'une jupe frôla Emma, qui recula d'un pas ; Claire s'était glissée près de son mari et avait posé une main sur son bras, dans un geste d'apaisement.

– David ne voulait offenser personne, mon ami. Soyez sûr qu'il... (elle hésita) manipulera notre belle endormie avec autant de respect que si elle était sa sœur.

– Vous resterez ? Claire, vous resterez ? Et Emma aussi ? Si des femmes sont présentes, l'âme de la reine sera rassurée.

– Bien sûr, nous resterons. N'est-ce pas, Emma ?

« Il déraille », pensa celle-ci, qui répondit pourtant :

– Naturellement.

Pendant ce bref échange, le médecin avait quitté la chambre funéraire. Il ne tarda pas à réapparaître, portant un ciseau et un marteau qu'il présenta, sans un mot, à son irascible ami.

– Merci, David, murmura celui-ci, qui avait retrouvé son calme.

Il entreprit de séparer en deux le cartonnage de la momie, opération longue et délicate pour qui ne voulait pas risquer d'abîmer les inscriptions et les dorures de l'enveloppe. Mais après quelques instants, il se releva, s'épongea le front et déclara :

– Nous ne sommes pas les premiers.

– Que voulez-vous dire ? La tombe aurait-elle été pillée ? interrogea Claire.

Peter Throckmorton secoua la tête.

– Non, regardez : aucun des objets que les Égyptiens plaçaient rituellement près du défunt n'a été emporté. Je

vois derrière le sarcophage des vases canopes en albâtre, qui doivent être très précieux ; il y en a même un nombre inhabituel... Le tombeau est intact, pourtant le cartonnage a été ouvert. Peut-être avant que le sarcophage ne soit refermé. La question est, une fois de plus : pourquoi ?

– Décidément, soupira David, cette syringe* est un mystère...

Il interrogea Peter du regard ; celui-ci lui adressa un léger signe de tête. Ensemble, ils soulevèrent délicatement la partie supérieure du cercueil.

– Oh, non, souffla Claire, qui avait pris appui sur le rebord de la cuve de granit.

Emma regarda par-dessus l'épaule de la jeune femme : un amas de bandelettes couleur de rouille reposait seul au fond du cartonnage ; des perles, tombées d'un collier ou d'un gorgerin dont le fil s'était rompu, avaient roulé çà et là.

– Disparue ! gémit l'archéologue. Ma Reine... Qui l'a enlevée ?

* Syringe : tombe royale de la Vallée des Rois.

Chapitre 12

Pauline se réveilla trempée de sueur, mais les pieds glacés : sa couette s'était enroulée autour de son cou. Elle repoussa l'amas de tissu qui l'étouffait et se redressa.

« Emma ! »

Clignant des paupières, elle fixa les chiffres lumineux de son radio-réveil. 01 : 45 ; 01 : 46 ; les minutes défilaient trop vite. Non, elle se trompait. Tout semblait normal : sa chambre, la lumière du réverbère qui se glissait entre les lames du store… Ses vêtements se trouvaient encore là où elle les avait jetés la veille au soir. La porte était fermée, la fenêtre aussi. D'où venait alors cette persistante sensation d'étrangeté ? Avait-elle rêvé ?

d'Emma ? Non. Aucune image ne l'obsédait. Ou alors... Ce coup de téléphone, la veille. Elle avait menti à la mère de son amie, et s'était sentie, toute la soirée, affreusement coupable. Mais que faire d'autre ? Dire la vérité ? « Désolée, mais votre fille a remonté le temps ; elle est quelque part en Égypte, en train de démailloter une momie. » À se tordre ! Ou à pleurer... et, de toute manière, impossible.

Le menton sur ses genoux relevés, Pauline soupira.

« Bon. Puisque je suis réveillée, autant faire le point sur la situation. C'est vite vu, d'ailleurs... Avec Simon, on a passé la soirée à se creuser les méninges, sans résultat. Et mon crétin de frère qui croit qu'on sort ensemble ! Complètement à côté de la plaque, comme d'habitude... Si c'était aussi simple que ça... »

Elle se frotta l'œil droit. Ce picotement était agaçant... Qu'est-ce qui...

« La bague ! »

Posé, comme la veille, sur la table de chevet, le bijou émettait une lueur intermittente.

« C'est dingue. On dirait... le voyant de veille d'un ordinateur... un cœur qui bat... Brrr ! Ça me donne la chair de poule. »

Elle se pencha pour observer de plus près le phénomène.

« Est-ce qu'elle... m'appelle ? Je ne peux pas y croire... Mais ce que j'ai vu hier, c'était si... Bon, je me lance. Je suis dans mon lit, il ne peut rien m'arriver. Le tout, c'est de m'en persuader une bonne fois pour toutes. »

Serrant les dents, Pauline glissa l'anneau à son doigt et se laissa aller sur son oreiller, les yeux grands ouverts.

« Détends-toi. Il ne va peut-être rien se passer. »

Mais elle ne sentait déjà plus le contact des draps sur sa peau ; les contours de la pièce perdaient de leur netteté.

« Est-ce qu'Emma ressent la même chose quand elle remonte le temps ? »

Elle ne pesait plus rien. Une plume, une plume dans le vent.

Un vent vieux de plusieurs siècles.

La nuit était si noire qu'elle se crut, l'espace d'un horrible instant, enfermée dans la tombe qu'elle avait, la veille, aperçue. Puis elle commença à distinguer des flammes, qui dansaient à la lisière de son champ de vision. Ce n'était pas un feu de camp, cette fois : les lumières étaient trop éloignées les unes des autres.

« Des torches… »

Une petite troupe approchait. Des ombres qui se confondaient avec les ténèbres, des hommes, dont certains étaient à cheval. Pauline aurait bien voulu les voir de plus près, mais que pouvait-elle faire sans son corps ? Ni muscles, ni membres, ni souffle : elle se sentait réduite à une paire d'yeux écarquillés. Elle découvrit assez vite,

pourtant, qu'elle pouvait orienter son regard, le porter là où un mouvement attirait son attention ; si elle se concentrait, il lui était même possible de « faire le point » sur un objet ou un détail du paysage.

« On dirait que je suis devenue une espèce d'appareil photo vivant… enfin, vivant, façon de parler. Allons-y : zoom sur les mystérieux inconnus ! »

Les porteurs de torches, dont la flamme était en partie masquée par des écrans, se drapaient dans de longues robes foncées. Un pan de leur turban couvrait leurs visages, de sorte qu'il aurait été impossible de les reconnaître. Pauline, le cœur étreint d'un désagréable pressentiment, vit qu'ils tenaient tous une arme, sabre courbe ou poignard à longue lame. L'acier froid luisait sous la lune, menaçant.

Quand ils s'approchèrent des tentes, une silhouette bougea, les rejoignit. L'homme portait une djellaba de couleur claire, mais sa tête était emmaillotée comme un nourrisson, dissimulant les traits de son visage. Quand il leva la main droite, l'adolescente constata qu'il lui manquait le petit doigt. Un chuchotement s'éleva : toutes les torches s'éteignirent, sauf une. Dans la pénombre rougeâtre, Pauline devina, plus qu'elle ne vit, la reptation de deux bandits — car c'étaient des bandits, elle en était sûre — qui se glissaient sous la toile rayée. Presque aussitôt, un cri perçant retentit.

Et puis ce fut le silence. Un silence si total, si étouffant que la jeune fille comprit qu'il n'était pas naturel. Comme dans un film, le son avait été *coupé* : elle continuait à voir des images, mais muettes.

Pauline n'eut pas le temps de s'interroger sur cette nouvelle bizarrerie, car les hommes sortaient de la tente, traînant à leur suite deux femmes en chemise de nuit.

Emma ! Et la femme qu'elle avait vue dans le tombeau…

Horrifiée, elle vit les lames se lever.

Puis s'abattre.

Deux fois.

Chapitre 13

– Les ouvriers refusent de reprendre le travail !

Peter Throckmorton reposa brusquement la tasse de fine porcelaine dans laquelle il buvait son *breakfast tea* et leva vers David un regard incrédule.

– Pourquoi ? Ne s'estiment-ils pas assez bien payés ?

– Ce n'est pas cela. Ils ont peur.

– Grands Dieux ! Mais de quoi ?

Le médecin soupira.

– Tu le sais très bien, Peter. La malédiction…

– Ce sont des sornettes !

– C'est ton opinion. La leur est bien différente. Ils craignent que leurs cheveux tombent par poignées, que leurs premiers-nés s'étouffent dans leurs berceaux, que leurs femmes soient frappées de stérilité et que leurs puits se tarissent… et j'en oublie sûrement ! Hier, ils ont réclamé une augmentation de salaire, que je leur ai accordée.

– Sans me consulter ?

Cinglant, David rétorqua :

– Sans consulter Claire, veux-tu dire ?

– David !

– Quoi ? Tu n'as pas un sou vaillant, mon vieux, tout le monde le sait. Si nous sommes ici, c'est grâce à la générosité de ta femme. Cesse de te comporter en petit roi prétentieux et aveugle ! Oui, je leur ai donné ce qu'ils demandaient. Mais cela n'a pas été suffisant. À l'heure qu'il est, ils ont plié bagage, laissant sur place outils et matériel. Nous sommes seuls.

– Pas tout à fait, intervint Emma qui sentait venir l'orage et s'efforçait d'alléger l'atmosphère. Votre cuisinier est là, fidèle au poste.

Elle venait de savourer un feuilleté au miel et estimait n'avoir jamais rien mangé de meilleur.

Peter Throckmorton haussa les épaules.

– Mahou ? À quoi peut-il bien nous servir ? Ce n'est pas lui qui nous aidera à fouiller le tombeau, ni à transporter ce sarcophage. Comment pourrai-je en faire don au British Museum si je ne suis entouré que de femmes et d'incapables ?

– Un peu de café, monsieur ?

Mahou, toujours aussi discret, se tenait debout derrière son maître, prêt à le servir. Depuis combien de temps était-il entré dans la tente ? Qu'avait-il entendu ? L'expression de son visage était neutre, ses paupières baissées dissimulaient son regard. Mal à l'aise, Emma s'agita sur sa chaise de toile. Claire se leva.

– Messieurs, si vous tenez à nous donner le spectacle de vos chamailleries puériles, je ne ferai rien pour vous en dissuader ; mais je n'en serai pas plus longtemps le témoin. Venez, Emma. Retournons à notre tente.

Sans protester, Emma suivit la jeune femme. Depuis la veille, celle-ci affectait la gaieté, mais ses yeux étaient cernés et les coins de sa bouche agités de tics nerveux. Elle se frottait les mains sans cesse, d'un geste machinal, comme si une piqûre d'insecte avait irrité sa peau.

– J'ai perdu ma bague, annonça-t-elle tout à trac.

– Quand ? s'enquit Emma.

– Je ne sais pas. Peut-être hier, dans la tombe… Je vais aller la chercher.

– Non !

Surprise, Claire la dévisagea.

– Que se passe-t-il, Emma ? Vous semblez effrayée… Que pourrait-il bien m'arriver ? Vous l'avez entendu, les ouvriers ont quitté le chantier. Il n'y a plus personne. Accompagnez-moi, si vous y tenez !

Elle déboutonna puis reboutonna son gant, fit quelques pas hésitants.

– Avec tous ces événements… cette découverte, ces absurdes rumeurs de malédiction… nous vous avons un peu oubliée, ma pauvre enfant. Je vais écrire au consulat dès aujourd'hui. Ce n'est pas un endroit pour vous, ici ; vous seriez mieux au Caire, chez les sœurs, peut-être ? Ce sont d'excellentes éducatrices, m'a-t-on dit, d'une grande douceur… Vous fréquenteriez des jeunes filles de votre âge, ce serait plus gai.

Elle soupira.

– Pourtant, votre présence m'est d'un si grand réconfort ! J'ai l'impression de vous connaître depuis toujours. Mais je ne dois pas me montrer trop égoïste.

Emma était au supplice.

– Claire, ne… Je vous en prie, n'y allez pas. Sous la tente, nous serons tranquilles, il faut… J'ai quelque chose à vous dire. Je ne vous ai pas révélé toute la vérité.

Elles s'assirent sur les poufs de cuir, après avoir vérifié que les alentours étaient déserts. Claire avait ôté ses gants : spontanément, elle se pencha et prit les mains d'Emma dans les siennes.

– Qu'avez-vous à me dire ? Que vous n'avez jamais perdu la mémoire ?

L'adolescente se troubla.

– Comment le savez-vous ?

– Si vous étiez réellement amnésique, votre comportement serait bien différent. Au début, vous ne paraissiez pas très à l'aise ; j'ai pensé que vous veniez d'un… d'un milieu différent du nôtre. Ne vous vexez pas, surtout ! Mais vous vous êtes adaptée si vite ! À votre manière de parler, on devine que vous avez reçu une bonne éducation, même si vous employez parfois des expressions que je ne connais pas. Il y a, dans vos manières, une… liberté, une indépendance… Vous ne ressemblez pas aux jeunes filles de la bonne société ! En fait, je n'arrive pas à vous situer.

« Évidemment », pensa Emma.

– Si une de ces jeunes filles s'était retrouvée dans cette situation — en compagnie d'étrangers, ayant tout oublié de son passé et de sa famille — elle aurait pleuré, cherché à tout prix à se remémorer un détail, un indice, quelque chose qui lui permette de retrouver les siens. Pas vous. J'ai l'impression que vous savez très bien *qui* vous êtes.

« Maintenant. Je *dois* le lui dire. »

Emma prit une profonde inspiration.

– Vous avez raison, en partie. Je sais qui je suis ; ce que j'ignore, c'est par quel moyen retourner chez moi…

– Vous êtes-vous enfuie ? Avez-vous eu… une déception ? Vous êtes très jeune, mais les élans du cœur… Vous me comprenez, n'est-ce pas ?

« Oh, non ! Elle me prend pour une fiancée trahie, ou quelque chose dans le genre. »

– Non, non, se hâta-t-elle de dire. Pas de jeune homme, pas d'escapade romantique, si c'est ce que vous voulez dire. Écoutez, Claire : ce que je vais vous apprendre est incroyable, et vous ne me croirez sans doute pas. Ne vous pressez pas de me faire enfermer chez les fous, c'est tout ce que je vous demande !

Claire éclata de rire.

– Quel sérieux ! Mais soyez rassurée, je ne ferai rien de tel. Vous pouvez m'ouvrir votre cœur en toute confiance.

« Décidément, elle parle comme un livre. C'est fou ! Et moi, je l'imite ! Je vais avoir des notes canon au bac de français — si j'ai l'occasion de le passer un jour… »

Elle avala sa salive et se lança :

– Eh bien… voilà. Vous avez l'impression de me connaître… c'est normal. Nous appartenons à la même famille. Je suis votre…

– Cousine ?

– Arrière-petite-nièce.

Claire, stupéfaite, haussa ses blonds sourcils.

– Vous devez vous tromper, vous… vous ne pouvez pas…

– Si. Je viens d'une autre époque — de l'avenir.

Chapitre 14

Pauline n'attendit pas que son réveil sonne. À six heures, elle se glissa hors de sa chambre, griffonna deux lignes sur une feuille de bloc-notes : *Oublié un truc important — je passe chez une copine et je vais au lycée, ne t'inquiète pas, à ce soir !* — et sortit après avoir déposé le mot sur la table de la cuisine, où sa mère ne pouvait manquer de le trouver en se levant. Simon habitait sur les hauteurs de la ville ; en bus, le trajet prendrait à Pauline un bon quart d'heure. Aller en cours ? Elle en était incapable. L'horrible vision de la nuit la poursuivait : ce silence surnaturel, les armes s'abattant sur les cous des victimes dont les bouches s'ouvraient sur des

hurlements inaudibles, le sang qui coulait pour être aussitôt bu par le sable… Elle avait vu mourir sa meilleure amie. Comment aurait-elle pu, comme si de rien n'était, s'asseoir à sa place dans une salle de classe, écouter un quelconque professeur seriner des formules de maths ou des repères chronologiques sur la guerre de 1914 ?

Il pleuvait. L'adolescente ramena sur sa tête la capuche de son sweat-shirt et courut vers l'arrêt de bus. L'angoisse lui serrait la gorge.

« Simon, il faut que tu m'aides. Comment savoir si ce que j'ai vu est déjà arrivé… ou va se produire bientôt ? »

Un peu plus tard, elle répétait ces mêmes mots, après avoir fait le récit de son « cauchemar ». Cauchemar, c'est ce que disait Simon. Il ne croyait pas à la réalité de ce qu'elle avait vu.

Ou ne voulait pas y croire, ce qui revenait au même.

– Mais tu as bien constaté toi-même que je ne dormais pas, la première fois, s'obstina Pauline. Ce ne sont pas des rêves, je te le jure !

Le garçon, mal réveillé, la fixait en fronçant les sourcils. Il avait passé un pull sur son pyjama, qui dépassait, et tournait machinalement sa cuillère dans son bol vide.

– Tu es sûre que tu ne veux pas manger quelque chose ? proposa-t-il. Tu as l'air sur les nerfs, ça te ferait du bien.

– Je ne pourrai pas avaler une bouchée. Pas tant que je ne saurai pas…

– Quoi ?

– Si Emma est toujours en vie.

– Arrête !

Violemment, Simon repoussa sa chaise et se leva. Il se posta devant la fenêtre, tournant le dos à Pauline qui remarqua que ses poings étaient serrés, si serrés que les jointures blanchissaient sous la peau tendue.

– Tu es aussi inquiet que moi, dit-elle doucement. Pourquoi essaies-tu de le cacher ?

Il se racla la gorge.

– Parce que tout ça est fou, complètement fou ! Parce que je refuse d'y croire ! Parce que...

Sa voix se cassa. Ses épaules se relâchèrent. Il passa une main sur son visage et se retourna.

– O.K., tu as gagné. Oui, j'ai peur. Mais à quoi ça nous mène ? Qu'est-ce que tu veux qu'on fasse ?

– Je voudrais tenter une expérience.

– Recommencer ? Tu es dingue.

Simon avait écouté Pauline lui faire part de son projet, mais à présent, il regimbait.

– Tu vois une autre solution ? Ne te gêne pas, grinça son amie. Écoute, j'en ai marre : avec toi, c'est toujours non, non et non. Tu es super négatif...

– Tu n'as rien compris — comme d'habitude. Je ne veux pas que *tu* recommences. Tu as vu dans quel état tu es ? Et si la même vision se répète ?

– Je tiendrai le coup. Et je te rappelle que tu n'as toujours rien suggéré.
– Si, espèce de buse ! Je vais la mettre, moi, cette maudite bague !

L'adolescente haussa les épaules.

– Et tu ne verras rien, je parie. Les garçons manquent de sensibilité... c'est bien connu.

– C'est pas vrai ! Tu ne peux pas t'arrêter deux secondes de me balancer des vannes débiles ? Qui manque de sensibilité, là ?

Simon, à n'en pas douter, était sincère : Pauline dut s'avouer vaincue. Elle ouvrit son sac et en retira un sachet de velours bleu foncé.

– La voilà... mais on ferait mieux d'aller dans ta chambre. Tes parents ne sont pas là ?

– Partis bosser aux aurores, comme d'hab'... Personne ne nous dérangera. Je peux balader mon corps astral dans le passé jusqu'à ce soir, si ça m'amuse.

Il ouvrit le sachet et en sortit le bijou. La pierre scintillait, belle et inoffensive — en apparence.

– C'est parti, soupira-t-il en glissant la bague à son doigt.

Simon s'attendait à ressentir les impressions que Pauline lui avait décrites par le menu : la sensation d'être emporté, comme un fétu de paille, par un vent violent, de planer à la manière d'un oiseau, d'être réduit à une paire d'yeux impuissants ; aussi fut-il surpris de se trouver aussitôt de plain-pied avec le paysage que la jeune fille avait déjà contemplé par deux fois. Le jour était levé depuis longtemps, mais il ne remarqua dans le camp aucun signe d'activité. Des outils étaient rangés à côté d'une tente contenant visiblement du matériel utile aux fouilles ; les autres tentes restaient fermées. La chaleur devait être extrême, car l'air, au-dessus du sable d'un blanc éblouissant, miroitait. Simon ne sentait rien : il aurait pu assister à un film, mais cette fois il se trouvait *dans* l'écran…

« C'est dingue… pensa-t-il. Et on dirait que je suis tombé là pendant l'heure de la sieste ! Pas un chat à l'horizon… Comment savoir si Emma va bien ? Est-ce que je peux me déplacer, au moins ? »

Ne pas avoir de corps était pour le moins embarrassant ! Au prix d'un gros effort, il réussit à faire pivoter son regard qui se fixa sur l'entrée de la plus grande des tentes.

« Emma et l'autre femme doivent dormir là, logiquement. Allez, mon vieux. Marche, rampe, évapore-toi, débrouille-toi… enfin bouge ! »

Il réussit à progresser de quelques mètres. Lentement, il s'approchait de la portière de toile rayée.

« Et pour la soulever ? Je fais comment, sans mains ? »

Dans le même instant, il se traita d'idiot : puisqu'il se réduisait à un esprit, il pouvait sans aucun doute traverser les murs… Alors, une simple toile…

« Un jeu d'enfant. Je manque d'habitude, voilà tout. »

Simon découvrit en effet qu'il pouvait s'insinuer par n'importe quelle fente, et se trouva bientôt à l'intérieur de l'alvéole où régnait une douce pénombre. Il distingua un grand lit drapé de mousseline, et, à côté, un matelas plus petit posé sur le sol. Tous deux étaient occupés, même s'il ne pouvait voir les visages des dormeuses, enfouis dans l'oreiller. Mais les chevelures claires identiques qui s'étalaient sur les taies de coton brodé suffisaient à lever le doute sur leur identité, et il sentit qu'il respirait mieux.

« Alors ce n'est pas encore arrivé… et n'arrivera peut-être pas ! »

Mais le décor, autour de lui, se brouillait, se modifiait : sans l'avoir souhaité, il avait changé de place. Une autre tente, dont les pans étaient relevés sur deux côtés, et où presque tout l'espace était occupé par deux énormes marmites posées sur des réchauds de fer rouillé.

« Tiens, la cuisine… J'ai dû avoir un petit creux sans même m'en rendre compte ! »

Soulagé, il se sentait presque d'humeur à plaisanter, mais sa joie se ternit quand un homme surgit à ses côtés. Il sursauta, avant de se rappeler que l'individu ne pouvait pas le voir. Apparemment, celui-ci ne souhaitait pas non plus être vu, ou du moins reconnu, car son visage était voilé. Il regarda de tous côtés, puis siffla. Quelques minutes s'écoulèrent, puis un autre homme fit son apparition. Il semblait contrarié.

– Tu ne devais pas te montrer pendant la journée, chuchota-t-il. C'est trop risqué.

L'autre ricana.

– Ces Européens dorment comme des nourrissons. Notre soleil est trop fort pour eux !

– Que veux-tu ? Les ordres n'ont pas changé. Ce soir…

– Les conditions ont changé. Les hommes veulent plus. Assassiner quatre étrangers, ce n'est pas rien. Il y aura des représailles.

– Ils n'ont pas à s'en soucier. Demain, à l'aube, ils seront loin, et toi aussi. Mais si tu ne m'obéis pas…

Menaçant, il se pencha vers son interlocuteur, et ses yeux s'étrécirent.

– *Elle* se vengera. Et sa malédiction vous poursuivra où que vous choisissiez de fuir, aux confins du désert comme dans les montagnes les plus hautes. Point de refuge pour ceux qui trahissent la Reine — ni en ce monde, ni dans l'autre. Tu devrais le savoir, Hénoutsen. Retourne là-bas et répète-leur mes paroles. Et tenez-vous prêts ! Quand le soleil sera couché, vous prendrez position autour du campement. Ils dormiront d'un lourd sommeil, car j'aurai mêlé à leur repas certaines herbes que je connais… Alors, nous les sacrifierons, et l'âme de la Reine, apaisée, pourra enfin trouver le chemin de l'au-delà. Va.

D'un geste, il congédia l'homme masqué.

Simon remarqua alors qu'il lui manquait le petit doigt de la main gauche.

Chapitre 15

– J'ai du mal à vous croire.

Claire s'était levée et arpentait la tente. Entre ses mains, elle froissait nerveusement un voile de mousseline.

– Et pourtant je vous crois. C'est absurde ! Je dois être aussi folle que…

– Que moi, compléta Emma. Ne vous excusez pas, c'est ce que croirait n'importe qui.

Elle ajouta à voix basse :

– Parfois, c'est ce que je crois aussi.

La jeune femme cessa son va-et-vient et reprit place sur le pouf.

– Et vous seriez venue… pour me sauver la vie ?

– Je ne vois pas pour quelle autre raison je serais là ! Un grave danger vous menace…

– Je le sais… Je le sentais ! Je vous ai confié mes alarmes, mes doutes… mais vous disiez alors…

– Je ne voulais pas vous effrayer inutilement.

– Alors, reprit Claire, que faire ?

Emma ouvrit les mains en un geste d'impuissance.

– Il faudrait savoir *qui* vous en veut à ce point. Et pourquoi. Vous soupçonnez tout le monde… même votre mari. Je vois bien que c'est dur pour vous.

– Oui, approuva la jeune femme d'une voix étranglée.

– Et je ne sais vraiment pas par quel bout commencer. Est-ce que vous pourriez…

Elle se tut subitement, les yeux écarquillés.

– Que se passe-t-il ? demanda Claire. Que regardez-vous ainsi… Oh, mon Dieu !

Près du grand lit, une image — floue, tremblante — se formait. Stupéfaites, les deux parentes virent une main apparaître distinctement — une main ornée d'une bague qu'elles reconnurent aussitôt. Puis un bras, des épaules, un corps humain. Et un visage.

– Simon ! cria Emma.

– Qui voulais-tu que ce soit ? prononça une voix curieusement étouffée. Je n'allais pas te laisser dans le pétrin… Et puis, tu me manques.

Emma lança un regard gêné vers Claire.

– Euh… Toi aussi.

– Mais je ne suis pas venu pour te dire ça, poursuivit le fantôme avec un clin d'œil à peine perceptible.

Il leva une main. Claire s'écria :

– Ma bague !

– Elle a de drôles de pouvoirs, votre bague, commenta-t-il. Je ne sais pas où vous l'avez achetée, mais comme gadget à la James Bond, on ne fait pas mieux. Écoutez… Je ne sais pas si j'ai beaucoup de temps. Il faut vous méfier du cuisinier.

– Mahou ?

– Je ne connais pas son nom. Il est petit, assez corpulent, et il lui manque le petit doigt de la main gauche…

– C'est bien lui, souffla Claire.

– Ne mangez rien de ce qu'il vous donnera ce soir : il a drogué la nourriture. Votre camp sera attaqué quand tout le monde dormira… et…

Emma voyait que Simon luttait pour continuer à parler ; par instants, son visage s'effaçait, puis l'image réapparaissait, plus pâle, vacillante. La voix du garçon s'éteignait, comme si la distance qui les séparait s'était tout à coup accrue.

– Veillez… Les surprendre, il le faut… N'oubliez… Sinon vous mourrez…

L'air trembla à nouveau. Le corps de Simon disparut. Seule resta visible la main qui portait la bague de Claire. Une dernière fois, la voix sans corps s'éleva :

– Prenez soin de… Emma… Il ne doit rien lui… Emma… que tu reviennes…
Et ce fut le silence.

À la tombée de la nuit, Claire fit appeler le cuisinier.

– Mahou, j'aimerais que tu prennes ton âne et que tu ailles au Caire faire quelques courses pour moi. En partant immédiatement, tu pourras être de retour demain matin, avant la grosse chaleur.

Le visage de l'homme se décomposa.

– Mais… Madame, non, partir ce soir, très mauvais ! Esprits des anciens rois mécontents. Voyager de nuit, dangereux. Et puis, qui servira le repas ?

La bouche de la jeune femme se crispa dans un effort pour sourire.

– Que d'attentions ! fit-elle doucereusement. Tu es vraiment la perle des serviteurs ! Mais je suppose que tu as déjà préparé le dîner ?

– Oui, oui, acquiesça le cuisinier.

– C'est le principal. Nous nous servirons nous-même, mon bon Mahou. N'aie aucune inquiétude et va vite : j'ai écrit sur cette liste ce dont j'ai besoin, il te suffira de montrer ce papier au commis du magasin général.

La mine sombre, Mahou hocha la tête. Il ne pouvait se dérober à cet ordre. Emma retint un rire : car sur la « liste de courses » ne figurait aucune énumération de denrées comestibles ou d'articles de toilette, mais ces quelques lignes, rédigées en anglais : *Cet homme est un criminel dangereux. Retenez-le sous un prétexte quelconque et prévenez immédiatement les autorités. Signé : sir Peter Throckmorton.*

Claire et Emma avaient elles-mêmes composé la missive. Elles espéraient que les employés, qui connaissaient bien l'époux de la jeune femme, prendraient l'avertissement au sérieux.

De mauvaise grâce, le serviteur prit la feuille de papier, qu'il plia et glissa dans la poche de sa gandourah. Puis il esquissa un salut et sortit de la tente.

– Nous voilà débarrassées de lui, provisoirement ! Il ne nous reste plus qu'à attendre la nuit, soupira Emma.

Chapitre 16

Les premières étoiles clignotaient à l'horizon quand un bruit de sabots alerta Emma. Elle se dressa, bousculant la table où les reliefs du repas étaient encore posés.

– Claire ! Ce sont eux ! Mais comment…

La jeune femme s'était retournée et scrutait l'obscurité.

– Que vous arrive-t-il ? interrogea David avec nonchalance.

Il dégustait son porto à petites gorgées.

– Ce n'est que Mahou : je reconnais les sonnailles de son âne.

– Comment a-t-il fait pour revenir si vite ? reprit Emma.

– Nous allons le savoir, dit Peter Throckmorton. Mahou ! Mahou !

Une silhouette émergea de l'ombre.

– Me voici, monsieur. Monsieur a bien dîné ?

Le regard du cuisinier errait parmi les plats vides. Satisfait, il esquissa un sourire.

– Bien, très bien, marmotta-t-il. Tout mangé... vous passerez une douce nuit. Longue, douce nuit.

« C'est ça, rêve, espèce d'assassin ! », fulmina Emma *in petto*.

Elle avait elle-même jeté le contenu des marmites et tiré des réserves de quoi confectionner un repas simple : soupe de légumes, riz et fruits. Les deux archéologues n'avaient même pas remarqué la différence. « Les hommes, avaient déclaré Claire, peuvent avaler n'importe quoi quand ils ont une idée en tête. Et ils ne voient que ce qu'ils veulent bien voir... »

– Tu ne serais pas rentré sans avoir fait les courses dont je t'ai chargé ? s'enquit la jeune femme avec dignité.

– Magasin fermé... personne. Je suis revenu. Vous pouvez avoir besoin de moi.

– C'est bien, Mahou, approuvait distraitement l'époux de Claire. Tu peux débarrasser, puisque tu es là.

Le cuisinier, avec prestesse, ramassa les assiettes sales et s'éloigna. Emma se pencha vers Claire et chuchota :

– Qu'allons-nous faire à présent ? Mahou absent, ces bandits auraient peut-être hésité à s'en prendre à nous...

– Nous devons prévenir David et mon mari ; il n'y a plus d'autre solution. De toute manière, il aurait fallu nous y résoudre, tôt ou tard.

Une heure plus tard, les quatre Européens se trouvaient réunis sous la tente de l'archéologue.

– Je ne crois pas à cette histoire de complot et de brigands, bougonnait Peter.

– Emma a entendu le cuisinier discuter avec son compère, insista Claire.

– Et depuis quand comprend-elle leur langue ? s'étonna le médecin.

Emma se troubla. Simon n'avait pas précisé ce point, et elle ignorait si la mystérieuse bague conférait le don des langues, comme cela avait été son cas quand, débarquant en plein Moyen Âge, elle s'était aperçue qu'elle parlait avec aisance l'ancien français.

Heureusement, elle n'eut pas à chercher d'explication : à travers la toile, des lueurs venaient d'apparaître.

– Ils approchent, souffla Claire, tendue.

– Ils ne prennent guère de précautions, ajouta David sur le même ton.

– Mahou nous croit profondément endormis...

– Vous êtes sûre qu'il ne vous a pas vues entrer dans ma tente ? s'inquiéta Peter Throckmorton.

– Certaine, confirma Emma. Il s'occupait de sa monture… Nous avons mis des traversins dans nos lits ; j'aimerais bien voir leur tête quand ils les découvriront !

Silencieusement, les deux hommes s'emparèrent des fusils posés sur le lit et les armèrent.

– Prêt ? chuchota l'archéologue.

– Prêt !

À cet instant, des imprécations éclatèrent.

– Ils ont trouvé les traversins, commenta Emma.

– Et ils s'en prennent à Mahou, continua Claire. Écoutez !

Le cuisinier, en effet, poussait des cris lamentables, alternant supplications et exclamations de douleur.

– Ils doivent le battre comme plâtre, s'égaya David.

– Il l'a bien mérité, dit Peter Throckmorton. Ce sale traître ! Profitons-en ! Gardons l'avantage de la surprise… À l'attaque ! *God save the King !*

Il se précipita au-dehors, suivi du médecin qui déchargea son fusil en l'air. Claire agrippa le bras d'Emma, qui voulait leur emboîter le pas.

– Restez ici ! C'est une affaire d'hommes… et vous pourriez attraper un mauvais coup ou une balle perdue !

Serrées l'une contre l'autre, les deux femmes guettèrent avec anxiété les échos du combat. Mais il n'y eut pas de combat : surpris par cette résistance inattendue et terrifiés par les coups de feu, les sbires de Mahou prirent la fuite, laissant sur place le cuisinier pantelant. David et

Peter les poursuivirent en poussant des cris affreux, ce qui hâta leur déroute.

– Maintenant, tu vas parler !

Le médecin venait de recoudre l'arcade sourcilière de Mahou. Celui-ci, solidement ligoté à une chaise, gémissait sans interruption.

– Parle, ou je te couds la lèvre supérieure avec les ailes du nez… Tu ne seras pas beau à voir, après cette opération !

– Pitié, geignit le cuisinier. Pas coudre… J'ai obéi, c'est tout !

– À qui ?

Peter Throckmorton brandissait une torche pour faciliter le travail de son ami. Il l'agita tant et si bien que quelques gouttes de résine brûlante tombèrent sur le front de l'homme, qui hurla.

– Ça tourne à la séance de torture médiévale, marmonna Emma saisie de dégoût.

– Chut ! lui intima Claire.

– C'est elle… c'est la Reine… bredouillait le patient terrorisé.

– Quelle reine ?

David s'était immobilisé, l'aiguille haute.

– La reine Kiya, répondit l'autre dans un souffle. Mécontente… Vous avez ouvert sa tombe… découvert son secret ! La Reine se sert de moi pour sa vengeance !

– Mais elle n'est même pas dans son sarcophage, objecta le médecin.

– Elle se cache... Elle reviendra ! Et alors, la malédiction s'abattra sur vous ! Et sur moi, mauvais serviteur ! Je devais la protéger... ma Reine !

Ses yeux se révulsèrent et il s'affaissa dans ses liens, évanoui.

– Cet homme est fou, dit Claire.

– Fou ?

L'archéologue contemplait, songeur, l'homme inanimé.

– Je ne crois pas. Je pourrais même dire que je le comprends...

Chapitre 17

– Emma ? Emma, que se passe-t-il ?

La jeune fille, allongée à plat ventre sur son lit, releva la tête : ses yeux étaient rouges et gonflés. Claire, un peu maladroitement, lui caressa les cheveux.

– Le danger est écarté, maintenant. Mahou a avoué avoir empoisonné mon omelette… et aussi glissé le serpent sous ma tente. Il était prêt à tout pour nous empêcher d'ouvrir la tombe.

– Je… je sais, hoqueta Emma. Je suis bien… bien contente qu'il ait été mis hors d'état de nuire.

– Alors, pourquoi ces larmes ?

– Je… Je…

Le sourire s'effaça du visage de Claire.

– Oh… Je comprends. Je n'avais pas pensé à cela.

Elle se mordit la lèvre.

– Je me suis si bien habituée à votre présence… J'ai toujours rêvé d'avoir une fille, et vous êtes là, vous êtes *presque* comme ma fille… si on saute deux générations ! Mais vous n'appartenez pas à mon époque, et vous avez envie de rentrer chez vous.

Gênée, l'adolescente fit « oui » de la tête. L'affection de Claire la touchait : la perspective de la quitter, sachant qu'elle ne la reverrait jamais plus, qu'elles ne pourraient même pas, par-delà les années, correspondre ou échanger leurs pensées, était presque insupportable. Mais vivre les débuts du XXe siècle avec, en elle, la mémoire d'un avenir bouleversé ? Être séparée de tous ceux qu'elle aimait ? De sa famille, de ses amis ? De… Simon ?

Non. Impossible.

Soudain, Emma s'assit toute droite sur le mince matelas, qui crissa. Une évidence venait de la frapper, qui n'avait rien à voir avec son chagrin ou la nostalgie de son univers familier : Claire était sauve, le coupable sous les verrous, elle aurait donc *dû* être aspirée de nouveau par les anneaux du temps.

Sauf si la formule qui la renvoyait dans son époque n'avait pas été correctement prononcée, lors de son premier voyage dans le passé. Sauf si Arnaud avait été interrompu dans son invocation…

Mais cela, elle ne le saurait jamais.

Ou sauf si...

– Sauf si vous êtes encore en danger, pensa-t-elle tout haut.

– Mais... que voulez-vous dire ? Je croyais que...

Claire semblait affolée.

Emma, qui avait retrouvé son calme, croisa les jambes sur sa paillasse et la fixa avec sérieux.

– Vous m'avez bien dit, il y a un instant, que Mahou avait avoué avoir empoisonné le plat qu'il vous destinait ?

– Oui. Mais il a nié vouloir m'assassiner : la dose était certes suffisante pour tuer un chien, mais pas un être humain, a-t-il prétendu. J'aurais été affreusement malade... assez pour déterminer mon époux à rentrer au Caire d'urgence.

– Et le serpent ?

– Privé de ses crochets à venin, à l'en croire. Nous n'avons toutefois aucune preuve de sa sincérité...

– A-t-il parlé du rocher qui a failli vous écraser ?

– Il se trouvait en cuisine à cette heure-là, affirme-t-il, ce qui est plausible. Mais il a pu soudoyer l'un des ouvriers...

– Et s'il ne mentait pas ? S'il y avait un fond de vérité derrière cette histoire de malédiction et de momie vengeresse ?

– Vous n'accordez pas foi à ces absurdités ? !

Emma grimaça.

– Il y a pire, comme absurdité : ma présence ici, par exemple ! Nous devons retourner dans le tombeau.

– Pourquoi ?

– Si je me souviens bien, David a dit qu'il y manquait quelque chose, et il ne parlait pas de la momie, à ce moment-là.

– Oui, c'est vrai, mais…

– Allons lui poser la question !

Le médecin se trouvait dans la syringe ; à la lueur d'une lampe à huile, il dessinait les objets trouvés dans la tombe. Quand Emma lui rappela la remarque qu'il avait laissé échapper lors de leur découverte, il se frotta le nez d'un air pensif.

– C'est vrai ; cela m'a frappé tout de suite. Il manque le *serdâb*.

– Le *serdâb* ?

– Une niche, ou une petite pièce creusée dans la paroi du tombeau. Elle contient en général les effigies du mort pour lequel la sépulture a été creusée — parfois aussi celles des membres de sa famille.

– Et où devrait-il se trouver ?

– Ici.

Il montrait un point sur la muraille, dans le prolongement du sarcophage.

Emma ramassa un petit marteau qui traînait par terre et frappa la pierre à coups légers ; un nuage de poussière l'enveloppa bientôt, mais le mur sonnait plein sous le choc du métal. Elle s'obstina un long moment, puis recula, déçue.

– C’est bête… j’avais pensé que…

– Tu as raison !

Le jeune médecin était si excité qu’il en oubliait ses bonnes manières.

– Une chambre secrète ! Bien sûr ! Comment n’y ai-je pas pensé tout seul !

Il saisit Emma aux épaules et lui plaqua, sur les joues, deux baisers sonores.

– Elle est là, je le *sens*, s’enflamma-t-il. Mais pas à l’emplacement habituel. Ceux qui ont fait cela voulaient dérouter les pillards pressés ou peu réfléchis.

Il s’empara d’un piolet et se mit à l’ouvrage, sondant la muraille avec délicatesse.

– Continue de ton côté, conseilla-t-il à Emma. Claire, écoutez bien ; je compte sur votre oreille de musicienne !

Lentement, ils firent le tour de la chambre mortuaire. Claire, très concentrée, prêtait l’oreille. Emma tentait de contrôler sa respiration, qui lui semblait anormalement bruyante. Enfin, comme ils approchaient de l’endroit où, dans le sarcophage, aurait dû se trouver la tête de la momie, le mur sonna creux.

– Stop ! cria David. C’est là !

Il s’empara d’une pioche et recula. D’un coup bien placé, il perça la cloison de mortier qui tomba par plaques, découvrant un renfoncement obscur.

– Aidez-moi à déblayer ! lança-t-il.

Quelques minutes plus tard, l'ouverture était entièrement dégagée. Le médecin leva sa lampe, éclairant une niche peu profonde, aux parois couvertes de peintures dont les couleurs avaient gardé toute leur fraîcheur. Plusieurs scènes se succédaient, vivantes, familières malgré l'attitude hiératique des personnages : une jeune femme, coiffée d'une volumineuse perruque, choisissant des bijoux dans un coffret tenu par une esclave agenouillée; la même femme se promenant dans un jardin planté de fleurs de lotus, ou admirant nonchalamment les évolutions de trois danseuses vêtues de longs pagnes plissés.

Mais la niche était vide.

Chapitre 18

Le médecin laissa échapper un gémissement.

– Nous avons échoué, dit-il. La reine Kiya s'est jouée de nous, une fois de plus.

– Peut-être pas, objecta Emma qui s'était accroupie pour mieux examiner les peintures. Regardez… On dirait bien que nous avons sous les yeux le récit complet de son existence.

Elle prit la lampe des mains du médecin et l'approcha des peintures.

– Cette image doit évoquer sa vie de jeune fille : elle joue avec ses sœurs, vêtue simplement… Plus tard, la voici couverte de bijoux, en vraie favorite royale. Elle

donne naissance à un enfant, est comblée d'honneurs… C'est fou, une vraie BD !

– Une quoi ? s'étonna David, mais déjà Emma enchaînait :

– Plus loin, les choses se gâtent. Elle est seule dans une chambre, devant un berceau vide… On a dû lui enlever son enfant, ou bien il est mort. Et cette femme, qui est-ce ? Elle lui tend une coupe… Kiya boit… Là, elle est allongée sur son lit. Un homme est à son chevet.

– Un médecin, murmura David. Je reconnais les insignes de sa fonction. C'est une découverte sans précédent ! La reine a été empoisonnée et, avant de mourir, elle a dénoncé son assassin sur les murs même de son tombeau… L'autre femme doit être Néfertiti, sa rivale, qui voulait régner sans partage sur le cœur du pharaon et accaparer une partie de son pouvoir. Peut-être même lui a-t-elle volé son enfant, pour faire croire qu'elle pouvait donner un héritier mâle au souverain !

Une dernière scène était peinte tout en bas du *serdâb* ; ils durent se mettre à genoux pour la voir distinctement.

– C'est l'intérieur du tombeau ! Tous les détails y sont : le sarcophage, la niche…

– Et cette petite porte, là ? interrogea Claire. Je ne la vois nulle part…

David bondit sur ses pieds.

– Elle doit être dissimulée sous l'enduit ! Et comme elle est en pierre, nous ne l'avons pas décelée. Quelle ingéniosité ! Une chose cachée donne la clef d'une autre chose cachée… La véritable chambre secrète ! Allons chercher Peter, et mettons-nous au travail !

Avec l'aide du dessin, il ne fut pas difficile de trouver l'emplacement de la porte. Elle était dissimulée derrière l'une des scènes peintes qui décoraient le mur de la chambre mortuaire. Emma piétinait d'impatience au spectacle des précautions que prenaient les deux hommes.

– Ce n'est que du plâtre ! s'exclama-t-elle. Un bon coup de pioche, comme tout à l'heure…

– Ce plâtre a plusieurs milliers d'années, jeune fille, rétorqua Peter Throckmorton en la foudroyant du regard. Il est couvert de pigments de couleur, de hiéroglyphes… Il peut nous donner de précieuses indications sur la manière dont les ouvriers et les artistes de cette époque travaillaient. Un peu de respect, ou je vous demande de sortir et de nous laisser achever en paix notre tâche !

L'adolescente se tut, mortifiée. Elle avait une réplique cinglante sur le bout de la langue, mais ne voulait pas prendre le risque d'être expulsée alors qu'elle touchait au but !

Enfin, un rectangle se dessina sur la muraille.

– Ces pierres sont extraordinairement bien ajustées, apprécia David. Quels bâtisseurs, ces Égyptiens ! Quelle finesse ! Nous aurons du mal à ouvrir…

– Peut-être y a-t-il un mécanisme caché ? suggéra Emma, sur les charbons ardents.

Le médecin lui jeta un regard aigu.

– Quand tu auras retrouvé la mémoire, n'oublie pas de me dire dans quelle école tu as été éduquée… J'y enverrai mes filles, si j'en ai un jour. Tu es réellement… surprenante.

Il laissa courir ses doigts sur la surface lisse, hésita sur un renflement presque imperceptible, puis pressa une légère saillie. Sans un bruit, la porte bascula.

– Nous y sommes, fit-il d'une voix étranglée par l'émotion.

– Laissez-moi passer !

L'époux de Claire semblait repris de l'étrange folie qui l'avait jeté hors de lui-même quand le sarcophage avait été ouvert ; ses yeux brillaient anormalement, ses lèvres tremblaient. Il se précipita vers l'ouverture béante, une torche à la main.

– La voi… la voilà, bégaya-t-il. Ma Reine… ma Reine !

– Peter… commença Claire. Calmez-vous, je vous en prie…

Mais il ne l'écoutait pas. Penché sur le cartonnage déposé sur une sorte d'autel de pierre, il semblait, avec son profil de faucon, le dieu des Morts lui-même jailli de l'au-delà pour entraîner à sa suite une nouvelle barque funèbre.

– Elle est là ! exulta-t-il.

Au fond du réduit mis au jour se trouvait en effet une réplique exacte du cartonnage découvert dans le sarcophage ; Emma, qui s'était approchée à pas de loup, reconnaissait les ornements, les traits gracieux et hiératiques, la pose figée et pourtant étrangement naturelle d'une femme parée de ses plus beaux effets, et plongée dans un profond sommeil — un sommeil éternel.

– Et tout est intact ! s'enthousiasmait à son tour David. Le masque, les inscriptions, les cartouches... C'est l'autre cartonnage, le faux, qui a subi la *memoria damnata*...

– Elle veut qu'on la remette dans son tombeau, dit doucement Emma.

– Quoi ?

Le médecin fronçait les sourcils.

– Oui. C'est ce qu'elle désire depuis des milliers d'années... Elle a essayé d'attirer notre attention par tous les moyens ! En fait, elle nous a guidés jusqu'ici pour que nous puissions exécuter ses dernières volontés.

La jeune fille avait conscience de la solennité exagérée de ses paroles ; le scientifique allait certainement se moquer d'elle.

Mais elle reçut un secours inattendu en la personne de l'archéologue anglais. Il prit son ami par l'épaule et le secoua.

– Cette jeune fille a raison... Nous *devons* rendre à la reine la place qui lui avait été réservée. Même si cette syringe est indigne d'elle... Pauvre jeune femme ! Assassinée, inhumée à la hâte dans cette tombe pour gens de peu... Nous lui *devons* ce dernier hommage.

Haussant les épaules, David obtempéra. Les deux hommes saisirent avec précaution les extrémités de l'enveloppe rigide.

– Éclairez-nous, ma chère, ordonna Peter à sa femme.

Claire obéit, les larmes aux yeux.

Quand la momie fut à nouveau allongée dans l'imposant sarcophage, elle semblait sourire.

Soudain, Emma frissonna.

« J'ai froid. On dirait que je me suis habituée à porter soixante couches de lingerie sous ma robe... »

Puis elle comprit.

Avant que la glace ne dresse entre elles son mur étincelant, elle chercha le regard de Claire. La jeune femme semblait figée ; son teint avait pâli.

« Elle ressemble... à une photo. Une vieille photo. Comme celle que j'ai trouvée dans l'album. On dirait qu'elle ne me voit plus... Elle a peut-être déjà oublié que j'étais là. »

Son corps s'engourdissait. Elle parvint pourtant à articuler :

« Moi, je ne vous oublierai jamais. »

Mais Claire s'était détournée. Elle se penchait, ramassait quelque chose dans un coin — un bijou, qui avait roulé là, dans la poussière.

Une bague ornée d'un saphir.

Chapitre 19

– Emma ? Ça va, ma chérie ?

La jeune fille ouvrit les yeux. Tout son corps était endolori : elle claquait des dents, comme au sortir d'un bain glacé. Lentement, le visage de sa mère se dessina au-dessus d'elle, entouré d'un halo flou.

– Emma ? répétait celle-ci d'une voix inquiète. Tu ne te sens pas bien ? Ce n'est pas l'heure de faire la sieste !

– Ça va, réussit à articuler la jeune fille. Un petit coup de barre, rien de grave.

Elle porta une main à sa tête et sentit sous ses doigts les anglaises que Claire avait patiemment roulées au fer le matin même — non : presque un siècle auparavant.

– Très réussie, ta coiffure, apprécia Mme Florian qui s'était assise sur le bord du lit. Ta tenue aussi... Mais je croyais que le thème de ta soirée, c'était les années 1980 ?

– Oh... je m'étais trompée, improvisa Emma. C'était, euh, 1880. La Belle Époque, quoi.

– La Belle Époque se situe un peu plus tard, rectifia sa mère. Vers 1900. En 1880, les femmes portaient des crinolines. Tu n'es pas vraiment dans la note.

– Pas de chance, éluda l'adolescente. J'aurais dû mieux me documenter... D'ailleurs, je ne sais pas si je vais y aller, à cette soirée. Je crois que j'ai attrapé un rhume.

Elle éternua à plusieurs reprises.

– Tu ferais mieux de rester au chaud, en effet, conseilla Mme Florian en se levant. Je vais te chercher une aspirine. C'est chez Pauline que tu as pris froid ?

– Chez Pauline ? Ah... oui, c'est ça. Elle a la manie de laisser sa fenêtre ouverte la nuit. Au fait... quel jour on est ?

– Tu es vraiment mal réveillée ! Mercredi après-midi. Je commençais à me demander si tu avais décidé de prendre pension chez ton amie !

– Oh... presque. Non, je plaisante.

Emma s'assit sur son lit et jeta un coup d'œil autour d'elle. Sa chambre n'avait pas changé. Sa mère non plus. Ouf ! Elle retrouvait ses repères, son univers familier. Sauf...

– Où est l'album ? demanda-t-elle tout à trac.

– Quel album ?

Mme Florian s'était retournée, une main sur la poignée de la porte.

– Celui que tu m'as montré l'autre jour… Un album des années 1920, où on voyait Claire… Tu sais, l'institutrice ? La femme de l'oncle Lucien ? En fait, on ne la voyait pas, la photo était déchirée. Mais j'ai retrouvé l'autre partie sous le rabat de l'album…

Elle s'interrompit : sa mère fronçait les sourcils et ses traits reflétaient l'ahurissement le plus total.

– Mais de quoi parles-tu ? Quel album ?

– Souviens-toi ! Tu étais au grenier, je suis montée et…

– Ah, celui-là ! Tu as dû rêver, ma chérie, et tout mélanger : il ne contient aucune photo déchirée. La grand-tante Claire n'était pas institutrice, elle donnait des leçons de piano, je crois. Et son mari, le frère de ton arrière-grand-père, ne s'appelait pas Lucien, mais David.

– Quoi ?

Soudain revigorée, Emma sauta du lit.

– Je veux voir cet album. Où est-il ?

– Eh bien… au grenier. Où veux-tu qu'il soit ?

– Je l'avais apporté ici. Dans ma chambre.

– Emma…

Mme Florian semblait inquiète.

– Tu es sûre que tu n'as pas de fièvre ? Je devrais peut-être appeler le docteur Lemoyne.

– Non ! Je vais bien. J'ai seulement… Tu as raison, j'ai dû rêver. J'ai la tête pleine d'images.

– Attends un moment. Je vais le chercher.

La mère d'Emma sortit de la pièce. Quelques minutes plus tard, elle était de retour.

– Voilà, dit-elle en ouvrant l'album. Ton grand-oncle avec ses parents.

Emma reconnut au premier coup d'œil le garçonnet en costume marin, qui tenait son cerceau comme un trophée. Derrière lui, un homme et une femme posaient, souriants.

David. Et Claire.

« Avec dix ans de plus. Le beau médecin a pris du ventre, mais il est plutôt séduisant… »

Claire souriait. Emma eut l'impression fugace que le regard bleu la cherchait, par-delà les années. À sa main droite, la bague.

– Claire avait épousé en premières noces un archéologue anglais, Peter quelque chose, continuait sa mère. Le pauvre homme a perdu la tête à la suite d'une expédition dans la Vallée des Rois, dont il n'a jamais dévoilé l'emplacement exact. Il délirait, parlait d'une reine assassinée… Il en était tombé amoureux fou et croyait dur comme fer qu'elle ressusciterait pour le rejoindre. Il a fallu l'interner. Il est mort peu de temps après son retour en Europe. David Florian était son assistant, mais il avait suivi des études de médecine, et il s'est installé près d'ici, à Annecy, après son mariage avec Claire, qu'il aimait depuis longtemps, en secret. Une histoire romanesque !

– Et la bague ? Quand a-t-elle disparu ? s'enquit Emma en posant le doigt sur la photo.

À nouveau, Mme Florian afficha une expression perplexe.

– Elle n'a pas disparu. Elle est dans mon coffret à bijoux. Mais... où vas-tu ? Je croyais que tu étais malade ?

Emma s'était levée et bataillait pour dégrafer sa jupe.

– Il faut que je parle à Simon. C'est urgent !

Chapitre 20

Le musée fermait ses portes quand Emma, Simon et Pauline se présentèrent au guichet.

– Laissez-nous entrer, mademoiselle Delphine, supplia Simon en adressant à l'employée un sourire enjôleur. On a un détail à vérifier, pour le lycée... Nous ressortirons par la petite porte, à côté de chez mon oncle.

– Bon... d'accord, soupira l'interpellée. Mais vous n'oublierez pas de rebrancher le système de sécurité, au moins ? Je risque mon emploi, à vous laisser baguenauder en dehors des heures d'ouverture !

– Bien sûr, mademoiselle Delphine, opina le garçon. Nous ferons attention, c'est promis.

Il entraîna les deux jeunes filles vers les salles réservées aux expositions temporaires.

– « Baguenauder » ! Je me demande où elle va chercher ça ! Et toi, est-ce que tu peux m'expliquer pourquoi il a fallu se précipiter ici ? Je me suis fait un sang d'encre, tu pourrais me laisser souffler !

Emma sourit. Quand Simon lui avait ouvert sa porte, une heure plus tôt, il n'avait pas prononcé une parole, mais l'avait serrée dans ses bras, à l'étouffer. Puis il l'avait embrassée. Et ce n'était pas un baiser de grand frère... Alors, oui, elle voulait bien croire à son inquiétude.

– Ne refais jamais un truc pareil, avait-il soufflé au bout de deux bonnes minutes.

– Je ne demande pas mieux, avait-elle soupiré. J'ai eu ma dose d'aventures !

La salle des momies était vide. Emma passa devant les vitrines, indifférente.

– Tu sais que Pauline a tourné de l'œil, l'autre soir ? pouffa Simon. Ces vieux trucs desséchés lui ont fait un effet !

– Très drôle, grinça l'intéressée, les lèvres pincées.

– Côté momies, je suis vaccinée, dit Emma. Où est la reconstitution dont tu m'as parlé ?

– C'est tout droit. Mais je ne comprends pas ce que tu cherches...

– Moi non plus, intervint Pauline.

– Je vous l'ai dit, pourtant. La photo, le prénom du mari de Claire… Ce que j'ai fait là-bas a changé le passé. Celui de ma famille, en tout cas. Vous avez lu la nouvelle de Bradbury, celle où un type va chasser le dinosaure ? Il se balade en pleine préhistoire, écrase un insecte et, quand il revient dans son époque, rien n'est plus pareil… jusqu'au résultat des élections présidentielles ! Vous comprenez pourquoi je flippe ?

– Tu as peur que les changements ne se limitent pas à ton arbre généalogique ? demanda Pauline.

– Exactement.

Ils pénétrèrent dans le tombeau. Emma, les yeux plissés, examina les lieux avec attention.

– C'est bien la même…

Simon et Pauline se taisaient. Emma remarqua que son amie tremblait et que des gouttes de sueur perlaient au-dessus de sa lèvre supérieure.

– Ça ne va pas ?

– S… si. Mais tu avais raison : il y a du changement, répondit la jeune fille d'une voix mal assurée.

Simon désigna les panneaux explicatifs.

– Quand je suis venu avec Pauline, la première fois, la tombe était pleine de bric-à-brac : une pioche, une veste de toile grise à grandes poches…

– La veste de David…

– Plein de trucs, quoi. Sans oublier la fameuse bague. Et là, il n'y a plus rien.

– Je ne comprends pas… Allons voir la momie, décida la jeune fille. Avant mon retour, nous l'avons replacée dans son sarcophage. Elle doit y être encore.

Blême, Simon suivit les deux filles. Le vide du sépulcre l'impressionnait ; il commençait à se demander s'il n'avait pas rêvé. Car le dépliant qu'il venait de prendre dans un présentoir de plastique était, lui, bien réel, et aucune mention de l'expédition archéologique interrompue n'y figurait !

Retenant leur souffle, les trois adolescents entrèrent dans la chambre funéraire.

– Il y avait bien une momie, se souvint Simon. Très abîmée… et toutes les inscriptions avaient été effacées.

– La *memoria damnata*…

– C'est expliqué dans le dépliant.

Emma sursauta.

– Tu dois te tromper ! Nous avons replacé la reine dans son sarcophage… J'étais là !

– Regarde toi-même.

Il lui tendit le document. Incrédule, elle parcourut les lignes qui signalaient la destruction intentionnelle des cartouches.

– Ce n'est pas possible ! Qui a fait ça ?

– Des pillards de tombes, peut-être ? suggéra Pauline. La Vallée des Rois est un vrai gruyère, et les voleurs se sont servis à toutes les époques, il paraît…

Une rangée d'ampoules bleutées éclairait l'intérieur du sarcophage. Emma contempla longuement le cartonnage ouvert, protégé par une vitre.

– Pauvre Kiya ! dit-elle à mi-voix. Après le mal que tu t'es donné pour que ta dépouille soit préservée de l'ultime malédiction lancée par ta rivale…

– Dis donc, ça te réussit, les vacances dans le passé ! fit Simon impressionné. Tu parles comme un vieux bouquin !

– Ce que je ne comprends pas, continua Emma sans relever le sarcasme, c'est pourquoi Néfertiti a voulu exclure Kiya du royaume des Morts… où elle l'avait expédiée elle-même !

– Elle avait peur de l'y retrouver, tu crois ?

– Si jeune, poursuivit la jeune fille comme hypnotisée. Seule, effrayée, menacée… Seule jusque dans la mort. Pauvre Kiya, répéta-t-elle. Et pauvre Peter. C'est peut-être ça, la vraie malédiction : la transmission de la peur, du désespoir, du remords, de la folie…

Elle recula.

– Mahou aussi était fou de « sa Reine », comme il disait. Il a pu vouloir l'arracher une fois encore à son dernier sommeil, afin qu'elle lance sur nous sa malédiction… Qui sait ce qui s'est passé, là-bas, après mon départ ? Qui sait ce que j'ai déclenché, croyant bien faire ? Leur vie, à tous, a été bouleversée…

– Calme-toi, ma vieille… Tu es là, tout va bien.

Pauline entoura les épaules de son amie d'un bras protecteur.

– Mais vous ne comprenez pas ? s'obstinait Emma, au bord des larmes. Je n'ai pas terminé ce que j'avais à faire ! Pour assurer la sécurité de Claire, je dois rendre son nom à la momie !

– Stop ! Là, tu délires… s'exclama Simon. Claire est morte depuis, quoi, cinquante ans ? Et si j'en crois ton histoire de photos, ça allait plutôt bien pour elle, longtemps après cette histoire. Allez, les filles, on rentre. Je vous propose un bacon-cheeseburger géant, un plat bien de notre époque, et ma spécialité.

– Simon…

– Oui ?

– J'ai peur de repartir.

– Et moi donc ! tenta de plaisanter le garçon. Les excursions temporelles, je trouve ça épuisant…

Il caressa, avec tendresse, la joue d'Emma.

– Mais la prochaine fois — s'il y a une prochaine fois —, débrouille-toi pour m'emmener. Je serai plus tranquille. Parce que je tiens à toi. C'est dingue, mais c'est comme ça. O.K. ?

– O.K., souffla Emma.

– On a loué tout un tas de films, enchaîna Pauline en les précédant vers la sortie. Il y en a un qui devrait te plaire.

– Ah oui ? Lequel ?

– *Le Retour de la momie*.

L'auteur

Christine Féret-Fleury a beau passer beaucoup de temps devant son écran d'ordinateur, les journées sont trop courtes pour venir à bout de toutes les histoires qui lui passent par la tête ! Elle a publié une soixantaine de livres pour la jeunesse, mais aussi des romans pour les adultes et des anthologies. Elle écrit régulièrement des fictions radiophoniques et anime des ateliers d'écriture destinés aux passionnés de tous les âges.
Depuis 2005, elle dirige aussi plusieurs collections de fiction aux éditions Les 400 Coups. Chez Gallimard Jeunesse, Christine Féret-Fleury a déjà signé deux titres dans la collection Mon Histoire : *S.O.S. Titanic* et *Le Temps des cerises*.

L'illustrateur

Christian Heinrich est né en 1965 à Sélestat. Le stylo à la main et des rêves plein la tête, il a voyagé dans les marges de ses cahiers d'écolier avant d'entrer à l'École supérieure des arts décoratifs de Strasbourg. Aujourd'hui, entre deux livres, il balade son carnet de croquis autour du monde et nourrit ses aquarelles de tout ce qu'il peut y voir.

Dans la même collection

Fin août, début septembre
Jean-Paul Nozière / n° 1

Marie-Banlieue
Martine Delerm / n° 2

Rapt à Branchecourt
Yves Hughes / n° 3

Rocambole et le spectre de Kerloven
Michel Honaker / n° 4

J'ai pensé à vous tous les jours
Loupérigot / n° 5

De l'autre côté du ciel
Évelyne Brisou-Pellen / n° 6

L'Attrape-Mondes
Jean Molla / n° 7

Le Bourreau de la Pleine Lune
Michel Honaker / n° 8

Poids plume
Nicky Singer / n° 9

Guerre secrète à Versailles
Arthur Ténor / n° 10

Jeremy Cheval
Pierre-Marie Beaude / n° 11

Cache-cache mortel
Michel Grimaud / n° 12

Dans la même collection

ROCAMBOLE ET LES MARIONNETTES DE LA MORT
Michel Honaker / N° 13

COMMENT DISPARAÎTRE ET NE JAMAIS ÊTRE RETROUVÉ
Sara Nickerson / N° 14

LA BALLADE DE CORNEBIQUE
Jean-Claude Mourlevat / N° 15

MYSTÈRE ET CRAPAUDAILLE
Yves Hughes / N° 16

CHIEN-DE-LA-LUNE (Les Maîtres des Brisants, I)
Erik L'Homme / N° 17

MARCUS ET LES BRIGANTES
Alice Leader / N° 18

ROCAMBOLE ET LE PACTE DE SANG
Michel Honaker / N° 19

LE GARDIEN
Malcolm Peet / N° 20

LA TROISIÈME VENGEANCE DE ROBERT POUTIFARD
Jean-Claude Mourlevat / N° 21

CHEVALIERS DE LA LICORNE
Yves Hughes / N° 22

MORTELS NOËLS (Les enquêtes de Vipérine Maltais)
Sylvie Brien / N° 23

PIÈGE EN FORÊT
Laurence Ink / N° 24

Rocambole et le Diable de Montrouge
Michel Honaker / n° 25

Embrouilles à ma façon
Alain Wagneur / n° 26

Le Secret des abîmes (Les Maîtres des Brisants, II)
Erik L'Homme / n° 27

Mon copain squelette
Gilles Barraqué / n° 28

Il faut sauver Athènes !
Alice Leader / n° 29

Jimmy Coates : assassin ?
Joe Craig / n° 30

Les Passe-Vents
Alain Grousset / n° 31

Rocambole et la sorcière du Marais
Michel Honaker / n° 32

Le Royaume des Euménides, I
Patrick Delperdange / n° 33

Donjon maudit
Yves Hughes / n° 34

L'Affaire du collège indien (Les enquêtes de Vipérine Maltais)
Sylbie Brien / n° 35

Célestin Radkler, prince des illusions
Jean-Luc Luciani / n° 36

Dans la même collection

Le Pilleur de tombes (Archéopolis, I)
Pierre-Marie Beaude / n° 37

Les Dévisse-Boulons
Alain Grousset / n° 38

Madame Gargouille
Orianne Charpentier / n° 39

Le Bonheur de Kati
Jane Vejjajiva / n° 40

L'Hiver maudit (Arghentur, I)
Sigrid Renaud / n° 41

L'Appel du Templier (Les anneaux du Temps, I)
Christine Féret-Fleury / n° 42

Jimmy Coates : cible !
Joe Craig / n° 43

Célestin Radkler, Le Sortilège maléfique
Jean-Luc Luciani / n° 44

La Prodigieuse Aventure de Tillmann Ostergrimm
Jean-Claude Mourlevat / n° 45

L'Oiseau du secret (Archéopolis, II)
Pierre-Marie Beaude / n° 46

Les Pierres de Foudre
Alain Grousset / n° 47

L'Île aux chiens
Jean-Paul Nozière / n° 48

La Forteresse d'argent (Arghentur, II)
Sigrid Renaud / n° 49

Le Secret du choriste (Les enquêtes de Vipérine Maltais)
Sylvie Brien / n° 50

Marwan de la mer Rouge
Katia Sabet / n° 51

Célestin Radkler, le Maître des esprits
Jean-Luc Luciani / n° 52

Luern ou l'Hiver des Celtes
Jean-Côme Noguès / n° 53

La Petite Capuche rouge
Orianne Charpentier / n° 54

Si tu m'apprivoises
Marie Leymarie / n° 55

À la poursuite de l'enfantôme
Jean-Baptiste Evette / n° 56

Les Tablettes magiques (Archéopolis, III)
Pierre-Marie Beaude / n° 57

La Guerre des livres
Alain Grousset / n° 58

Emmène-moi
Françoise Grard / n° 59

Seigneurs de guerre (Les Maîtres des Brisants, III)
Erik L'Homme / n°60

Imprimé en Italie
par L.E.G.O. S.p.A. – Lavis TN

PAO : Belle Page

Dépôt légal : avril 2009
N° d'édition : 156540
ISBN : 978-2-07-061820-0
Loi n° 49-956 du 16 juillet 1949
sur les publications
destinées à la jeunesse